Syniad Da

Y bobl, y busnes – a byw breuddwyd

gyda chyfarchion

SIOP DAN EVANS
Y BARRI

Argraffiad cyntaf: 2014

ⓗ Gwasg Carreg Gwalch

Rhif rhyngwladol: 978-1-84527-477-1

Mae'r cyhoeddwr yn cydnabod cefnogaeth ariannol
Cyngor Llyfrau Cymru

Cynllun clawr: Sion Ilar

Cyhoeddwyd gan Wasg Carreg Gwalch,
12 Iard yr Orsaf, Llanrwst, Conwy, LL26 0EH.
Ffôn: 01492 642031 Ffacs: 01492 641502
e-bost: llyfrau@carreg-gwalch.com
lle ar y we: www.carreg-gwalch.com

Siop Dan Evans
Y Barri

Alcwyn Deiniol Evans

Dan Evans a Dudley Howe, ei frawd-yng-nghyfraith;
Dirprwy Fawr a Maer cyntaf y Barri 1939

Cyflwynedig
i fy ngwraig, Rhoswen
ac er cof am y rhai a fu
a'r lleill
sydd wedi mynd eu gwahanol ffyrdd
wedi eu meithrin yn ein gwerthoedd

Alcwyn Prys (Alcwyn Deiniol Evans) yn yr Adran Llieiniau 1990

Fi (yr hynaf yn y canol) gyda fy mrodyr a'm chwiorydd c.1957

Gair i gyflwyno

Cefais fy nghodi a'm magu ar fferm Wernellyn ger Llangadog yn Sir Gaerfyrddin, yr hynaf o dri ar ddeg o wyrion oedd gan Dan Evans, a anwyd hefyd ger Llangadog – yn fferm Caesiencyn yn 1883.

Daeth addysg gynradd i'm rhan, yn gyntaf yn Ysgol Bethlehem ac yna Ysgol Llangadog, cyn parhau mewn addysg uwchradd yn Llanymddyfri.

Ni allaf ddweud, fel rhai, mai dyddiau ysgol oedd y rhai hapusaf yn fy mywyd, felly pan ddaeth cynnig gan fy nhadcu, Dan Evans, i ymuno â'r cwmni, neidiais at y cyfle i adael yr ysgol pan oeddwn yn ddwy ar bymtheg oed.

Roedd hyn yn 1959 – adeg o ddatblygiadau mawr ym myd y cyfryngau gyda gwerthiant mawr ar setiau teledu. Gwell esbonio – tan 1958, dim ond un sianel deledu oedd ar gael yn ne Cymru, sef y BBC. Ond ar ôl pasio Deddf Seneddol yn 1955 fe alluogwyd sefydlu sianeli annibynnol, masnachol ac yma yn ne Cymru, Cwmni TWW enillodd y drwydded a dechreuwyd darlledu yn 1958.

Caesiencyn, Llangadog, lle ganwyd Dan Evans yn 1883

Fi a Madhu Gandhi

Roedd y setiau teledu a brynwyd cyn hyn (y rhan fwyaf, rhaid dweud, i wylio'r coroni yn 1953) ddim ond yn gallu derbyn un sianel, felly gyda dyfodiad y sianel fasnachol, ffrwydrodd y galw am setiau a dderbyniai fwy nac un sianel.

Gan fod Dan Evans yn barod yn gwerthu offer trydanol ac electronig, fe fanteisiwyd ar y cyfle hwn i gynyddu gwerthiant. Ond roedd yn rhaid cael peirianwyr wrth gefn i wasanaethu'r galw ac i gynnal a chadw'r offer teledu newydd rhain.

Felly yn 17 oed fe'm danfonwyd at gwmni PYE yng Nghaergrawnt i fynychu cwrs gwasanaethu offer electronig. Ddeunaw mis yn ddiweddarach, graddiais gyda thystysgrif 'Radio and TV Engineer'.

Wedi hynny cefais ddwy flynedd o brofiad manwerthu yn siop aml-adran Ely's of Wimbledon fel rhyw fath o brentis, yn symud o adran i adran i feithrin profiad o werthu dodrefn, carpedi ac offer tŷ a chartref o dan ofal gwyliadwrus Mr Hovel (a fynnai mai 'Hovelle' oedd y ffordd gywir o ynganu ei enw).

Cydweithwyr eraill imi ar y pryd oedd y brodyr Pocock – aeth un ohonynt ymlaen i chwarae criced dros Loegr. Fe'i cyfarfyddais eto tua 15 mlynedd yn ôl, mewn rhyw ffair fasnach – erbyn hynny roedd yn gyfarwyddwr pryniant gyda'r Army and Navy Stores.

Ar ôl Llundain, euthum i Wolverhampton yn 1963 am flwyddyn o brofiad gyda James Beattie – siop fawr aml-adran oedd yn cael ei rhedeg fel uned o'r fyddin. Cyn-filwr oedd y perchennog gyda gwahanol lefelau o 'swyddogion' DM, ADM, DS ac yn y blaen.

Tra oeddwn yno, bu'r cwmni yn dathlu trosiant o £4m ac fe drefnwyd 'diwrnod allan' – trip i Coventry. Aeth 27 llond bys ohonom i'r ddinas honno.

Cafwyd cinio mawr mewn rhyw neuadd wych, ac yna i theatr a logwyd yn unswydd ar ein cyfer lle ymddangosodd sêr yr oes – Matt Monroe a Bruce Forsyth ifanc ar y pryd!

Wedi hyn i gyd cyrhaeddais y Barri yn Hydref 1964. Erbyn hyn roedd adran wasanaethu offer trydan ac electronig wedi ei hen sefydlu yn Siop Dan Evans gyda staff gwych wedi eu denu o wahanol gwmnïau. Felly i mewn â fi yn syth i'r ochr fanwerthu, i'r adran garpedi.

Drwy'r blynyddoedd, bûm yn rheoli sawl adran yn Dan Evans – dechrau gyda teganau, yna crochenwaith, adran feithrin (prams ac ati), dillad plant. Wedi hynny defnyddiau cartref a llieiniau, bleinds a charpedi, gan orffen drwy gynllunio ystafelloedd ar gyfer llenni a bleindiau ac ati. A dyna lle yr oeddwn arni ym mlwyddyn ein canmlwyddiant fel cwmni yn 2005.

Y flwyddyn ganlynol, daeth cynnig am y seit, a gan bod amodau busnes canol tref yn gwaethygu'n ddifrifol fe'u derbyniwyd, ac felly, ar ôl 'homar' o sêl, ac ar ôl 101 o flynyddoedd, caewyd pen y mwdwl.

Alcwyn Deiniol Evans

Rhagair

Bythynnod Old Village Road

Dychmygwch bentref bychan o fythynnod to gwellt, ambell weithdy, fel gof neu saer, tafarn i lawr ar lan y môr (y *Ship* wrth gwrs) a dros y swnt o'r dafarn mae 'na ynys. Uwchben y dafarn mae eglwys fechan Sant Niclas ar ymyl y clogwyn.

Nid oes ffordd fawr yn agos at y lle – llwybrau clai gyda throlion a cheffylau yn symud ar eu hyd. Yn uwch i fyny na'r Eglwys, ac i mewn i'r tir, ceir olion hen gastell gyda'r rhan fwyaf o'i gerrig wedi hen fynd i adeiladu'r ffermdy gerllaw.

Yn y clwstwr yma o adeiladau, a ellid efallai ei alw yn bentref, y trigai cant saith deg a phump o bobl yn 1881. Mae'n debyg fod y pentref wedi'i enwi ar ôl y teulu Normanaidd a adeiladodd y castell. A'r enw hwnnw? – Y Barri.

Tua dwy filltir i'r dwyrain ar y llwybr i Gaerdydd, mae 'na bentref mwy – Tregatwg (*Cadoxton*) lle, yn 1881, roedd 303 o bobl yn byw.

Castell y Barri

Rhwng y ddau bentref mae 'na ffermydd megis Holltwn Fawr, Holltwn Fach, Uchelolau, Witchill, Gibbonsdown ac ati, a thipyn o lastir (*glebe*) a oedd yn berchen i'r Eglwys. Felly gwledig iawn oedd yr ardal gyda choedwigoedd a nentydd bychain yn llifo tua'r môr.

Darlun hyfryd, yn berffaith fel clawr bocs siocledi.

Ond yna! Dewch yn ôl ymhen ugain mlynedd, ac mae'r llecyn delfrydol hwn wedi ei drawsnewid yn llwyr! Does dim byd fel hyn wedi digwydd yn Ynysoedd Prydain cyn hyn. Mae poblogaeth 1881 o 478 wedi saethu i fyny i tua 35,000. I gyd mewn llai nag ugain mlynedd!

Beth yw'r rheswm am hyn? Yn syml, un gair: GLO.

Glo, meddech chi? Ie, glo.

Roedd Marcwis Bute wedi datblygu rhwydwaith o byllau glo yng nghymoedd dwyreiniol de Cymru, a hefyd wedi datblygu dociau yng Nghaerdydd i allforio'r glo.

Ar gefn y cyfoeth a enillodd drwy'r gweithgareddau hyn, datblygodd yr hen gastell yng Nghaerdydd ac ail-adeiladu'r

Y Barri a'r Ynys – cyn y Dociau a'r Rheilffyrdd

Castell Coch a llawer o adeiladau crand eraill gyda'i bensaer Burgess.

Pan oedd hyn yn digwydd, roedd Caerdydd yn tyfu'n dref eithaf mawr, gan oddiweddyd Merthyr Tudful fel tref fwyaf Cymru.

Pan ddechreuwyd mynd yn hesb o syniadau am enwau ar gyfer y strydoedd newydd, roedd yn rhaid troi at enwau teuluol o'r Alban, neu enwau metalau neu aelodau o'r teulu.

Beth bynnag, dyma'r adeg y daw David Davies, Llandinam i mewn i'r darlun. Dechreuodd David Davies ei yrfa yng Nghanolbarth Cymru fel saer a llifiwr coed yn nechrau'r bedwaredd ganrif ar bymtheg.

Yr unig ffordd yr adeg honno o gynhyrchu estyll pren ar gyfer adeiladau a lloriau oedd y pwll llifio, lle ceid un dyn yng ngwaelod y pwll ar un pen o'r llif, a'r llall uwchben y boncyff yn dal y pen arall i'r llif – hwn oedd yn rheoli'r weithred – a'i enw, 'Top Sawyer' a dyma beth y galwyd David Davies.

O dipyn i beth, datblygodd ei sgiliau i ddatblygu

rheilffyrdd yn y canolbarth – roedd angen miloedd o estyll wedi'u llifio i gynnal y rheiliau. Ac o hynny cynyddodd ei alluoedd peirianyddol, a gyda'r cyfoeth yr oedd yn ei gyniwair aeth i mewn i'r diwydiannau newydd fel cloddio dwfn am lo.

Agorwyd pyllau dwfn ganddo yn y Rhondda megis yr Ocean. Ond – ac ond mawr – rhaid oedd dibynnu ar ddociau Caerdydd i allforio'r glo da yma oedd yn cael ei gydnabod fel y glo ager gorau yn y byd.

Gan fod monopoli allforio gan Ardalydd Bute o gludo glo dros y byd o'i ddociau yng Nghaerdydd, roedd yn gallu codi crocbris ar rhywun fel David Davies i wneud hynny.

Ateb Davies oedd agor dociau ei hunan! Felly, mewn cydweithrediad â'r tirfeddiannwr, yr Arglwydd Plymouth, aethpwyd ati i gynllunio a datblygu dociau newydd yn y Barri, drwy gysylltu'r ynys (Ynys y Barri) â'r tir mawr i greu hafan lle gellid llwytho'r diamwntiau du ar longau i fynd i bedwar ban byd.

1884 oedd y flwyddyn pan dorrwyd y dywarchen gyntaf ar gyfer y dociau ac erbyn 1889 roedd popeth yn barod i dderbyn y llong gyntaf i'w llwytho, sef y *S.S. Arno*.

Roedd tref y Barri ar ei thraed.

Klondike Cymru

Fel y soniwyd yn y rhagair, fe dyfodd poblogaeth y Barri o 478 i tua 30,000 mewn llai nag ugain mlynedd. Er mwyn ymdopi â'r niferoedd yma roedd yn rhaid adeiladu tai annedd ar frys.

Yn ffodus, roedd datblygiad y Barri ar ôl y deddfau Iechyd Cyhoeddus a basiwyd yn 1877, lle rhoddwyd pwyslais ar ofod o amgylch tai gyda digon o le am erddi a golau yn hytrach na'r datblygiadau 'back-to-back' a fu cyn hynny yn nhrefi diwydiannol Lloegr yn arbennig.

Ond, gan mai tir amaethyddol oedd yn cael ei ddefnyddio i godi'r stadau newydd, gellir gweld o hyd mai siapau'r caeau gwreiddiol sy'n nodweddu cynllun y stadau hynny. Roedd y ffermwyr lleol yn gwerthu'r tir yn ôl y gofyn i'r datblygwyr – cyfreithwyr gan fwyaf – ac roedd rheini yn mynd ati i ddatblygu'r cae hwnnw, o ganlyniad does 'na ddim siâp rhesymegol i'r dref. Triwch chi esbonio i rywun sydd yn dod i'r Barri am y tro cyntaf, sut mae cyrraedd canol y dref, lle'r oedd siop Dan Evans!

Ond gyda'r holl dwf hwn mewn tai a phoblogaeth, rhaid oedd darparu gwasanaethau ar eu cyfer, megis capeli ac eglwysi, siopau a chlinigau, gorsafoedd heddlu a thân, tafarnau a theatrau yn ogystal â'r gwasanaethau sylfaenol fel cyflenwad dŵr a charthffosiaeth a hyd yn oed rhoi wyneb caled ar y ffyrdd a'r strydoedd, lle'r oedd y rhan fwyaf yn dal i fod yn wyneb clai (cofiwch, ceffylau a throliau oedd yr unig drafnidaeth ar y pryd).

Ar y dechrau hefyd, nid oedd na chyngor lleol nac arweinydd naturiol i'r dref i'w gymharu gyda'r Arglwydd Bute yng Nghaerdydd ychydig flynyddoedd ynghynt, a osododd gynllun ar gyfer ei dref newydd.

Yn hytrach, roedd hi'n dipyn o ffwrdd-â-hi yn y Barri,

lle'r oedd yr *entrepreneurs* yn camu i mewn, prynu cae fan hyn, neu adeiladu tafarn fan draw. Di-drefn oedd popeth a di-siâp.

O leiaf fe gadwyd llawer o enwau'r caeau a ffermydd yn enwau'r strydoedd, megis Holton Rd, Newlands St, Buttrills Rd, Gibbonsdown Rise – yn ogystal â llawer o enwau'r hapfuddsoddwyr!

Un nodwedd glir yn y Barri hyd yn oed y dyddiau hyn, yw'r diffyg dybryd o westai. Dim ond un gwesty 'safonol' sydd yn y dref o hyd, sef y Mountsorrel Hotel a sefydlwyd gan ferch Dudley Howe (y maer cyntaf), Nesta, ond mae 'na ryw fath o reswm am hyn.

Ym mlynyddoedd cynnar y dref fe gynlluniwyd ac adeiladwyd nifer helaeth o westai/tafarndai – rhai crand gyda nodweddion pensaernïol hardd, ond nid agorwyd yr un ohonynt am fusnes am iddynt fethu â chael trwydded – a hyn am sawl gwahanol reswm.

Roedd y Cadoxton Hotel er enghraifft, adeilad hardd a phortico rhwysgfawr, wedi'i adeiladu yn y dybiaeth fod y ffordd fawr newydd i Gaerdydd yn mynd heibio'r drysau crand, ond tybio'n anghywir wnaeth y datblygwyr gan mai clawdd uchel sy'n cario'r rheilffordd a roddwyd yno. Fe allwch weld y fynedfa hyfryd hwn o'r trên yn mynd i Gaerdydd o'r Barri! Yn ddiweddarach daeth yn bencadlys i gwmni electronig EOS – y cwmni wnaeth gyhoeddi record 'Ifas y Tryc' a hefyd cwmni oedd yn cyflenwi systemau clyweled dros Brydain i gyd – dan ofalaeth Dilwyn Morgan!

Mae'n ddiddorol nodi hefyd y defnydd wnaethpwyd o rai eraill o'r gwestai hyn.

Osborne Hotel – nawr *Cadoxton Conservative Club*.

Queen's Hotel – South Wales Bible College (lle cafodd Ian Paisley ei addysg grefyddol) ond sydd yn awr yn Fosg Islamaidd!

Court Hotel – *Steam Laundry* ond yn awr wedi ei ddymchwel.

Barry Dock Hotel – *Voluntary Hospital for the Sick, Destitute and Dying.*

Alexandra Hotel – YMCA; yna yn warws i Dan Evans ond yn awr yn fflatiau annedd.

Alexandra Hotel – YMCA – Warws Dans

Dan Evans y Dyn

Yng nghanol yr holl fwrlwm gwyllt a ddigwyddai yn y Barri cyn troad y ganrif, cyrhaeddodd teulu bach o Lanelli i'w cartref newydd yn Woodlands Road, Y Barri – Y Parchedig Ben Evans a'i briod a phedwar o blant, Daniel, Idris, Anita ac Aneurin. Roedd Ben Evans wedi'i wahodd yn 1897 i fod yn Weinidog ar eglwys newydd yr Annibynwyr, Tabernacl ar Sgwâr y Brenin, canol y dref, chwaer eglwys i Bethel, Penarth ac fe'i sefydlwyd yn weinidog yn 1899.

Y Parch. Ben Evans a Dan Evans

Sefydlwyd yr achos gan fod cymaint o'r Cymry cynhenid lleol a weithiai gan fwyaf fel llwythwyr a 'trimmers' yn y dociau, yn ei chael hi'n anodd i fynychu gwasanaethau yn Eglwys Bethesda (1½ milltir i ffwrdd) neu Bryn Seion, Tregatwg (1¼ milltir i ffwrdd). Rhaid cofio nad oedd trafnidiaeth gyhoeddus i'w gael ar y pryd, a dal yn lleidiog a llithrig oedd y strydoedd.

Tua 16 oed oedd Dan Evans pan symudodd y teulu i'r Barri, ond roedd yn barod wedi bod yn brentis i siop haearnydd yn Llanelli, ac mewn dim o dro cafodd ymestyn ei brentisiaeth yn siop Hoopers yn stryd fawr y Barri.

Hir oedd yr oriau gwaith yno, y siop yn agor tan chwech bob nos o'r wythnos, heblaw dydd Mercher – hanner diwrnod, cau am un. Ond ar nos Wener, agorai'r siop tan wyth yr hwyr, ac ar nos Sadwrn buasai Dan yno tan tua naw yr hwyr er mwyn newid y ffenestri ar gyfer yr wythnos i ddod. Dydd Sul – ar gau wrth gwrs.

Mr Hooper oedd perchennog y siop ac roedd yn ddyn teg a da. Fe fu am dipyn o amser allan yn yr Unol Daleithiau yn gweithio a medi rhai syniadau manwerthu. Wedi dod yn ôl i'r Barri mynnai gael ei alw'n 'Boss' gan ei weision!

Bu'n 'foss' da iawn i Dan, a phan benderfynodd agor siop arall yng nghanol tref y Barri, gofynnodd i Dan a fyddai'n fodlon bod yn reolwr arni, er nad oedd eto ond un ar hugain oed. Cytunodd Dan.

Felly yn 1904 cyrhaeddodd Dan rif 81 Holton Road (adeilad newydd sbon ar y pryd) i gychwyn ei yrfa fel rheolwr siop.

Gan nad oedd y siop ymhell o Thompson Street, a arweiniai yn syth lawr i'r dociau, roedd y gymysgedd o nwyddau ychydig yn wahanol i'r rhai yn y stryd fawr. Tueddai'r detholiad tuag at anghenion llongau (*ship's chandlers*) ac felly dyna oedd ei arbenigedd cyntaf.

Cofiwch, stori arall yw honno am Thompson Street – neu 'Stabbing a night, Thompson Street'. Stryd o siopau a chaffis oedd hi yn y bôn ond ar y lloriau uchaf, ceid puteindai

Thomson Street

18

a lletyau cyfnod byr i forwyr oedd yn dod o bedwar ban byd. Nid oedd lle diogel i fynd am dro bach gyda'r nos – mae'r hen stryd wedi'i dymchwel yn llwyr erbyn hyn, ac yn lle dociau'r Barri, golygfeydd o 'Glan-y-Dŵr' a geir.

Lleolwyd 81 Holton Road tua chanllath o'r gyffordd gyda Thompson Street a chanllath i'r cyfeiriad arall roedd sgwâr canol y dref, sef Sgwâr y Brenin, neu King's Square.

Ar ôl cael cystadleuaeth am y cynllun gorau am adeilad pwrpasol ar gyfer swyddfeydd i'r cyngor, enillwyd y cytundeb gan gwmni penseiri o Lundain E. E. Hutchinson ac E. Harding-Payne, ac fe aed ati i greu adeilad hardd a wynebai Sgwâr y Brenin gyferbyn â Thabernacl – capel Ben Evans. Felly gellir gweld fod y siop a reolai Dan Evans mewn lle canolog yn Holton Road.

Fe fu'r siop yn llwyddiant mawr, gyda hynawsedd Dan yn denu cwsmeriaid o bob math, a gwelwyd yn fuan fod angen newid tipyn ar y gymysgedd o nwyddau a werthwyd ynddi.

O sylweddoli hyn, teimlai Dan y gallai wneud gwell gorchwyl ohoni o fynd ati ar ei liwt ei hun a dechreuodd chwilio am adeilad pwrpasol at ei ddibenion. Tua'r un adeg, o ran cwrteisi, aeth i weld y 'Boss', Mr Hooper, a dweud wrtho am ei gynlluniau.

Roedd Dan yn amharod am adwaith y 'Boss' – 'Pam na wnei di brynu'r busnes yn Holton Road gen i?' meddai, ac fe gytunwyd ar delerau. Cafodd fenthyciadau gan ei dad, Ben Evans a hefyd ei Wncwl Walter, sef brawd-yng-nghyfraith Ben, a feddai ar gwmni o Arwerthwyr yn Llandeilo ond a oedd yn byw yn Llangadog ar y pryd.

Mae'n werth nodi rhai ffeithiau am Wncwl Walter yn y fan hyn. Roedd yn gymeriad hoffus crwn (ymhob ystyr o'r gair) dros ei ugain stôn! Enwyd stryd yn Llangadog ar ei ôl – sef Heol Wallter (ond Bacwei ar lafar gwlad). Fe oedd perchennog y car cyntaf yn Llangadog – Renault melyn agored gyda'r llyw yng nghanol y dashfwrdd.

Tra oedd yn gyrru ar y ffordd (garw a thyllog oedd y ffyrdd bryd hynny, cyn oes y tarmac) heibio i Gapel Gosen yn Llangadog, fe darodd olwyn dwll a moelodd y car a thaflwyd Walter allan i'r gwter. Pan ddaeth rhywun heibio a'i weld yn gorwedd yno yn anymwybodol sylwodd fod yr olwyn llywio yn dal yn ei ddwylo!

Dro arall roedd wedi dod ar ymweliad â'r Barri ar gyngor ei ddoctor, fel ei fod yn gallu dilyn deiet er mwyn colli tipyn o'r pwysau yr oedd yn ei gario.

Wedi tipyn o amser ar y deiet fe aeth am dro i Ynys y Barri, oedd yn gyrchfan poblogaidd i ymwelwyr, ac yno ar y prom fe welodd beiriant pwyso. Safodd ar y peiriant a rhoi ceiniog i fewn yn yr hollt ac fe saethodd y bys a bwrw'r uchafswm gyda bang.

'Damo'r deiet 'ma! Wi'n stopid nawr.'

* * *

Felly, gyda'r benthyciadau oddi wrth Wncwl Walter, ei dad a sawl aelod arall o'i deulu, fe agorwyd siop Dan Evans and Co. yn 1905 ac yntau ddim ond yn 22ain oed.

Y prentis cyntaf a logwyd oedd Edward a aeth yn ddiweddarach i fyd y sinema a chael ei urddo'n farchog am ei gyfraniad. Dau fachgen arall fu'n gweithio yno wedyn, oedd Henry Edwards ac Anthony Edwards. Yn hwyrach, aeth y ddau i'r môr a dod yn gapteiniaid llongau mawr.

Yn y llun ar y dde gwelir dull y cyfnod o arddangos y detholiad nwyddau oedd ar gael y tu mewn i'r siop. Rhaid oedd dechrau'n gynnar yn y bore i osod y rhain i gyd yn eu lle, a hefyd aros yn hwyr i'w cadw y tu ôl i ddrysau caeedig.

Yn y ffenest ar y dde, ceir hysbyseb Cadbury's tua nôl. Adlewyrchiad yw hwn o'r siop losin gyferbyn.

Gyda'r fusnes yn awr ar ei thraed ac yn llewyrchu,

1905

dywedai Dan mai un o bleserau mawr bywyd yn y
blynyddoedd wedyn, oedd eistedd o flaen y tân yn taflu'r
papurau dyled oedd wedi'u talu fesul un i'r fflamau.

Datblygu a Thyfu

O'r cychwyn cyntaf arwyddair Dan oedd 'Gwasanaeth' – gwneud yn siŵr fod pob cwsmer yn cael y sylw teilwng a bod tegwch a gonestrwydd yn cael ei weithredu bob tro. A dyna oedd polisi'r fusnes tan y diwedd, cant ac un o flynyddoedd yn ddiweddarach.

Wedi sefydlu'r fusnes ac agor y siop yn 81 Holton Road, rhaid oedd hyrwyddo'r fenter fel bod pobl yn dod i wybod fod hwn yn gynnig newydd gyda detholiad newydd a gwahanol o nwyddau a oedd erbyn hyn yn tueddu tuag at offer tŷ a gardd a mân ddarnau o ddodrefn. Cadarnheir hyn wrth edrych ar gopi o'r hysbyseb cyntaf a gyhoeddwyd yn y *Barry Dock News* ac wrth edrych ar y llun o flaen y siop.

Ond un o arfau hyrwyddo mwyaf effeithiol Dan oedd ei bersonoliaeth ef ei hun.

Yr Hysbyseb Cyntaf

Meddai ar lais canu da, ac yr oedd yn dipyn o gerddor. Fe oedd codwr canu'r capel yn Tabernacl cyn bod organ yno a bu'n weithgar iawn yn codi arian i gael organ fendigedig i'r capel.

Roedd ganddo gôr a cherddorfa a berfformiodd y rhan fwyaf o'r Oratorios, ac unwaith cynhyrchodd yr Operatta 'Hywel a Blodwen' gan Joseph Parry.

Yn wir, fe'i gwahoddwyd i ymuno â chwmni opera enwog Carla Rosa ond bu'n rhaid iddo wrthod oherwydd pwysau'r fusnes.

Er hynny roedd yn arfer

ganddo i dderbyn y rhan fwyaf o'r gwahoddiadau lleol i ganu fel unawdydd, ac ar y diwedd pan ddelai'r trefnydd i roi tâl iddo, dywedai fel arfer 'Na, na – ond cofiwch lle mae fy musnes'. Drwy adeiladu nifer fawr o gysylltiadau fel hyn, a dyfal donc, y cynyddodd y fenter.

Mae un stori amdano yn cymryd y brif ran yng nghynhyrchiad y *Barry Operatic Society* – fe oedd Don Quixote yn ei siwt arfau llawn.

Rhaglen Don Quixote

Yn ystod un perfformiad fe gwympodd yn lletchwith oddi ar ei 'geffyl' ac fe anafodd ei gefn. Ond ni wnaeth hyn ei atal rhag cymryd rhan yn y nosweithiau canlynol, er ei fod ar ei hyd yn y gwely weddill y dydd!

Dan ar y dde fel Don Quixote

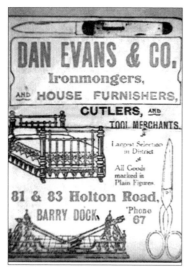

Yr Ail Hysbyseb

Erbyn 1908 roedd 81 Holton Road wedi mynd yn rhy fach i gynnal prysurdeb y siop, felly pan ddaeth drws nesaf, rhif 83, ar gael fe'i prynwyd a thrwy hynny ehangwyd ar yr ystod o nwyddau oedd yn cael eu gwerthu ac fe gynyddwyd nifer o staff. Gellir gweld hefyd o'r hysbyseb ar y pryd, fod 'na rif ffôn wedi ei ychwanegu 'Phone: Barry 67'.

Ond efallai mai'r prif garreg filltir yn ei yrfa oedd 1911, pan briododd â Catherine Mary Richards, a ddeuai yn wreiddiol o Gydweli.

Catherine Mary yn y canol gyda dwy gydweithwragedd yn D. L. Evans

Yn ferch ifanc fe aeth Catherine i fyw gyda'i Modryb Sage yn Llanelli ac yn 14 oed aeth i weithio mewn siop. Yna yn ei harddegau hwyr aeth i Lundain a chael swydd yn siop amladran Peter Jones yn Chelsea cyn dychwelyd i Gymru a chael swydd yn siop ddillad D. L. Evans (dim perthynas) oedd yn digwydd bod gyferbyn â Dan Evans yn Holton Road.

Fel yr oedd yr arfer y dyddiau hynny, byddai'r merched ifanc a weithiai yn y siopau mawr yn byw uwchben ac fe ofalwyd amdanynt gan wraig y perchennog fel arfer gyda llety a bwyd yn rhan o'u cyflog. A sôn am fwyd, roedd cig cwningen yn cael ei weini mor aml yn D. L. Evans nes

Siop D. L. Evans a'r perchennog

achosi Catherine i'w gasáu gyda chas perffaith. Ni fwytodd hi erioed gig cwningen wedi hynny.

Yn 1912 cafwyd dau ychwanegiad pwysig. Ym mis Medi fe anwyd eu plentyn cyntaf, sef Gwynfor, a hefyd ychwanegwyd rhif 85 Holton Road at rifau 81 ac 83 gan greu rhes o dri.

Dal i dyfu o ran poblogaeth wnaeth y Barri a thyfu mewn prysurdeb oedd y dociau gan gyrraedd uchafbwynt allforio yn 1913 pan lwythwyd 11 miliwn tunnell o lo i longau.

Roedd wagenni glo yn cael eu llwytho i hoist a dipiai'r wagen gyfan a gwagio'r cynnwys i fewn i howld y llong.

Ar eu hanterth roedd 41 hoist yn gweithio i gyd yn gwagio glo i 41 o longau yr un pryd, ac fe arhosai tua'r un faint o longau yn y *Barry Roads* y tu allan i'r dociau yn aros eu tro.

25

81-85 Holton Rd

Ond yn raddol, crebachu wnaeth y diwydiant glo, gan fod y llongau newydd yn defnyddio olew fel tanwydd yn hytrach na glo. Tra bod y diwydiant glo yn crebachu, roedd sectorau eraill yn ehangu, megis twristiaeth ac er mai ymwelwyr dydd oedd y rhan fwyaf, roedd gofyn mawr am lefydd i aros y nos neu wythnos yn y Barri. Yn sgîl hyn roedd galw mawr am bob math o drugareddau i harddu tai ac i ddodrefnu tai er mwyn eu troi'n llefydd 'Gwely a Brecwast'.

Gyda help ei wraig Catherine, fe agorwyd adrannau oedd yn gwerthu llestri a defnyddiau i wneud llenni a gorchuddion llawr o bob math. Neilltuwyd ystafell arbennig yn llofft un o'r siopau – ystafell blu, lle'r oedd posib ailstwffio matresi â phlu – gwaith blêr iawn lle'r oedd yn hanfodol bod y drysau ar gau yn dynn fel nad oedd posib i'r plu ddianc i adrannau eraill.

Rhaid cofio hefyd nad oedd trydan i'w gael yn y rhan fwyaf o'r dref tan 1924, felly nwy oedd y ffynhonnell goleuo, gwresogi a choginio, a thu allan oedd y rhan fwyaf o'r tai bach, yn enwedig yn y cartrefi cynnar o tua 1884 ymlaen. Felly roedd galw mawr am botiau dan gwely neu '*gazunders*' fel y'i gelwid.

Gyda'r galw cynyddol am offer cartref, fe benderfynwyd cymryd uned arall – nid y drws nesaf y tro hwn, gan eu bod hwy wedi'u cymryd gan '*Boots the Chemist*' a Lipton y siop fwyd. Siop y gornel oedd yr ychwanegiad diweddaraf – dau ddrws i fyny o'r rhai gwreiddiol, ac fe'i agorwyd yn 1917 fel siop lestri arbenigol gyda Catherine yn

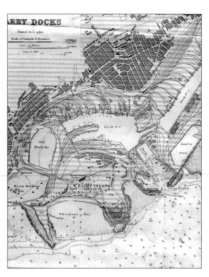

Map morwrol yn dangos yr holl reilffyrdd i'r Hoists

ei rhedeg gan wneud yr holl brynu ar ei gyfer.

Yn 1917 hefyd y ganwyd trydydd plentyn iddynt, sef Alcwyn, yn frawd i Gwynfor a Ceridwen, a anwyd yn 1914.

Felly, hanes o dwf graddol a gafwyd drwy flynyddoedd y Rhyfel Mawr 1914-1918.

Roedd gan y fyddin wersylloedd transit i fyny uwch ben y dref, ar gaeau Buttrills, lle arhosai'r milwyr i gael eu trosglwyddo dros y môr. Mae fy nhad yn cofio (cof plentyn) gwylio cannoedd o'r milwyr yma, oedd wedi'u consgriptio yn gorymdeithio lawr bryn y Buttrills tuag at y dociau y tu ôl i afr wen, ac roedd rhai ohonynt yn wylo dan deimlad wrth ymadael am Ffrainc neu'r Dardanelles.

Tua 1917, wedi geni Alcwyn, fe benderfynwyd symud o fyw uwchben y siop i dŷ yn Somerset Road oedd tua chwarter milltir i ffwrdd i fyny Tynewydd Road. Mae'n debyg mai pobl yn ymwneud â'r môr oedd llawer o'r cymdogion, rhai ohonynt o dras Roegaidd gydag enwau fel

Kalamatousis, Kastarounis, Veliadis, Angelinakis a Germanacos. Enw'r tŷ oedd Y Goedwig ac mae plac glas yno yn awr i goffáu Gwynfor.

Gan fod y stryd yn uchel uwchben y dref nid oeddent yn cael eu heffeithio gan y llwch diddiwedd, llwch glo a dreiddiai i bobman i lawr o amgylch y dociau.

Weithiau, pan nad oedd gwynt, fe setlai'r llwch ar wyneb dŵr y dociau, ac yn aml mi fyddai rhywun yn camu arno gan feddwl mai tir sych oedd yno, a diflannu o dan y dŵr.

Drwy adael y siop am y Goedwig fe ryddhawyd mwy o le ar gyfer swyddfa ganolog i alluogi cyflogi ysgrifenyddes i gadw cownt ar y cyfrifon a hwyluso rhedeg y fusnes.

Mae stori am yr ysgrifenyddes gynnar, a oedd yn fenyw o gorffolaeth eang, yn gweithio'n hwyr un noson, a heb sylweddoli ei bod fyny yn y swyddfa wrth ei desg, gadawodd y person olaf drwy gau'r drws ffrynt oedd â chlo math 'Yale' ac wedyn cau'r gât haearn allanol a'i chloi.

Pan ddaeth ysgrifenyddes i lawr o'i gorchwyl, fe ymadawodd drwy'r drws yr un modd gan ei gloi wrth gau, a throi i adael drwy'r gât – ond roedd wedi'i chloi!

Nid oedd yn medru mynd nôl mewn i'r siop, gan fod y drws hwnnw wedi cloi ar y latsh, roedd wedi'i chaethiwo o fewn rhyw fath o gawell. Dechreuodd weiddi i geisio dal sylw rhywun, ond gan ei bod yn dywyll ac yn weddol hwyr doedd neb o gwmpas i'w chlywed.

O'r diwedd daeth plisman heibio a gweld ei phroblem, ond gan ei fod ar ben ei hun nid oedd dim y gallai wneud i'w helpu. Felly, nôl a fe i Court Road, lle'r oedd gorsaf yr heddlu – tua hanner milltir i ffwrdd i mofyn help, ac fe ddychwelodd gyda phlisman arall i'r siop. Dringodd un ohonynt dros y gât haearn uchel i mewn i'r gawell, a cheisio codi'r ferch i fyny dros y top. O'r diwedd, gyda'i thraed hi ar ei ysgwyddau ac yn pwyso dros y top fe lwyddodd y plisman arall afael yn ei breichiau a rhyngddynt ei bwydo dros ymyl y gât.

Roedd hwn hefyd yn adeg o gynni cyffredinol, gan fod dirwasgiad yn taro, a bu hyn yn ofid mawr i ŵr busnes fel Dan a'i deulu. Roedd gwerth y nwyddau a gadwai yn y siop yn graddol ddisgyn i fod yn llai na'r hyn y talodd amdanynt.

Bu sawl rheswm pam y goroesodd yr adegau blin hyn.

Yn gyntaf, roedd ganddo enw da, hefyd dangosodd ffydd yn y cwsmeriaid yr oedd wedi dod i'w hadnabod mor dda. Estynnai gredyd di-log i lawer ohonynt.

Ffactor arall oedd dyfodiad cyflenwad cyffredinol o drydan i gartrefi'r dref.

Ystyriwch y dyddiau cyn dod trydan: smwddio dillad gyda haearn smwddio trwm gydag elfen haearn yn ei berfedd a roddwyd yn y tân i'w dwymo cyn ei roi nôl tu fewn i'r haearn.

Tegelli wedi eu gwneud o haearn a sospenni – cyn bod tin yn dod yn gyffredin – doedd dim sôn am aliwminiwm bryd hynny.

Dim peiriannau golchi na sychwyr – bwrdd golchi a thwba a ddefnyddiwyd gyda mangl, os oeddech yn lwcus, i dynnu'r dŵr allan o'r llieiniau a'r dillad.

Yna daeth trydan o 1924 ymlaen, trydan oedd yn medru gwresogi haearn smwddio neu degell, neu oleuo ystafell dim ond drwy daflu swits.

Ond fel yr oedd y dirwasgiad yn darfod daeth peiriant newydd o'r Unol Daleithiau, peiriant a fyddai'n torri gwaith tŷ i lawr i'r hanner – sef y sugnydd llwch, neu yr 'Hoover'.

Roedd Dan Evans ar flaen y gad yn agor cyfrif gyda'r cwmni hwn, a cymaint oedd y galw amdano fel y crewyd 'Clwb Hoover' fel bod pobl yn medru cynilo yn wythnosol er mwyn prynu un.

Gyda'r adferiad yma yn y fusnes, fe ddechreuwyd ochr gymdeithasol i staff oedd yn graddol gynyddu mewn nifer. Cymerai'r gweithgareddau hyn sawl ffurf, megis trip haf i rywle ar drên neu mewn bys, neu hyd yn oed drip ar un o'r

Dan a'i wraig ar eu gwyliau

llongau padl, draw i Weston neu Ilfracombe. Roedd cwmni llongau pleser P. & A. Campbell yn hwylio o ddociau'r Barri yn rheolaidd o amgylch môr Hafren.

Roedd Llandrindod yn gyrchfan boblogaidd gan fod y teulu yn aml yn mynd yno ar wyliau ac yn adnabod y lle'n dda a'r adnoddau oedd ar gael yno.

Yn y llun isod a dynnwyd tua 1937 ceir sawl cymeriad a weithiai yn y siop oedd yn dal i fod yno pan ymunais i â'r cwmni yn 1964.

John Llewellyn a'i wraig, Mr a Mrs Bill Carr, Reg Pitman yn ogystal â Dan ei hun yn y canol gydag Alcwyn yn ifanc yn y rhes gefn a Gwynfor, am ryw reswm yn dal potel o gwrw yn ei law dde – peth od – gan ei fod yn llwyr ymwrthodwr.

Trip staff i Landrindod yn 1937

Effaith y gweithgareddau hyn oedd creu tim o bobl oedd yn dod i adnabod ei gilydd yn well, gan gynnwys y teulu, drwy greu 'teulu' ehangach.

Mae hirhoedledd dyddiau'r staff gyda'r cwmni yn dystiolaeth o'r 'camaraderie' a ddigwyddai yno.

Person arall a recriwtiwyd i'r cwmni gan Dan yn niwedd y tridegau, oedd Doris Jones – merch alluog, deinamig gyda

Doris Jones a Nellie Devonald

thân yn ei bol am chwaraeon megis tenis, badminton a sgïo. Dechreuodd fel ysgrifenyddes gyffredin ond yn raddol daeth i gadw cyfrifon gan gadw cownt o'r holl anfonebau a derbynebau, cyn troi i fod yn Ysgrifennydd y Cwmni, gyda gofal am holl redeg ymarferol y fusnes.

Roedd yn wir gaffaeliad i'r fusnes, yn glust i bob problem bersonol gan rai ag angen, ond yn ei dweud hi fel yr oedd wrth eraill. Bu'n golled fawr pan ymunodd â'r WRNS yn ystod yr Ail Ryfel Byd, ond yn rhyddhad mawr pan ddychwelodd wedi *demob*.

Gyda'r crebachu graddol yn y dociau, daeth aelod newydd arall i ymuno â'r cwmni. Bill Harper oedd hwn, gyda'i gefndir ar y dociau, yn beiriannydd heidrolig, a weithiai yr holl hoists a gatiau'r dociau a hefyd unrhyw beth trydanol, fe ddaeth ar yr adeg iawn i ddelio gyda'r holl gynnyrch trydanol oedd yn cael ei

Bill Harper

werthu yn awr gan y cwmni. Fe allai hefyd weirio unrhyw adeiladau neu dai oedd gan y cwmni. Rwy'n dweud tai, gan fod y cwmni wedi dechrau prynu tai a allai fod yn gymhelliad i ddenu aelodau newydd i'r staff.

Nodwedd arbennig a berthynai i Bill Harper oedd ei fod yn gallu trin gwifrau trydan noeth heb ddiffodd y cyflenwad! Bu ef gyda'r cwmni tan ei ymddeoliad tua 1979.

Pan ddaeth yr Ail Ryfel Byd yn 1939 – gellid dweud mai ffrwtian wnaeth y siopau fel y gwelir wrth lun y biliau. Dim ond un peth wnaeth newid a hynny oedd y gofod dyddiad ar y top – mae un yn dweud 193- a'r llall yn dweud 19--, er bod bron deng mlynedd rhyngddynt.

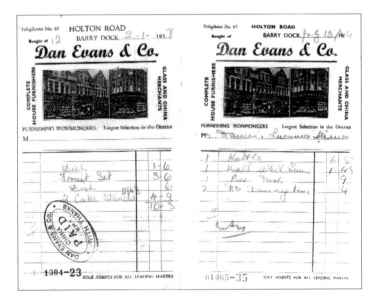

Biliau 1938 a 1946

Bywyd Cyhoeddus Dan Evans

Heblaw am ei waith diflino gydag Eglwys y Tabernacl a'r cyngherddau di-ri a fynychai, fe daflodd Dan ei hun i fywyd cyhoeddus cyffredinol y dref.

Yn yr 20au cynnar bu'n llywydd Siambr Fasnach y dref, gan ymgyrchu yn frwd gyda'i frawd-yng-nghyfraith Dudley Howe i ddenu buddsoddiad i'r hyn allasai fod yn botensial gwych i'r dref i ddenu ymwelwyr o bob rhan o'r byd.

Yn 1932 cafodd ei ethol i'r Cyngor fel aelod annibynnol, gan gymryd diddordeb arbenigol mewn addysg, ond hefyd ni chollodd gyfle i hyrwyddo'r dref ynghyd â'i frawd-yng-nghyfraith Dudley Howe.

Er bod miloedd o bunnoedd wedi'u gwario i ddatblygu'r Barri fel cyrchfan ymwelwyr gyda'r atyniadau ar Ynys y Barri ac ardal Cold Knap, dim ond ymwelwyr am y dydd oedd yn dod ar y cyfan, gan wario bron ddim yn y dref ei hun.

Cold Knap

Felly aethant ati i ymgyrchu i gael y Barri wedi'i ymgorffori yn Fwrdeisdref. Prif bwrpas Ymgorfforiad oedd ehangu statws y dref, drwy gael Maer a'r holl sylw a ddeuai o hynny. Bu'r ymgyrch yn llwyddiannus ac fe etholwyd Dudley Howe i fod y Maer cyntaf a Dan Evans yn ddirprwy iddo.

Trefnwyd seremoni rwysgfawr i gofnodi'r ymgorfforiad ar gyfer Medi 1939. Roedd y dathliadau i bara pedwar niwrnod rhwng yr 20fed a'r 23ain o Fedi gyda chyngherddau, galas nofio, pasiant ac ati. Fe gyfansoddwyd 'Festal Song' gan Dr D. J. Morgan Lloyd gyda geiriau Cymraeg gan J. M. Edwards a chyfieithiad Saesneg gan Major Edgar Jones, prifathro Ysgol Ramadeg y bechgyn.

Yn y copi sydd gen i o'r rhaglen mae 'na atodiad ar ddarn o bapur sy'n datgan: 'Owing to the outbreak of War, the Programme of Celebrations printed on pages 33, 35, 36, 37, 38, 39, 40, 41 and 42 of this Charter Souvenir will not be proceeded with at present.'

Yn lle'r dyddiau o ddathlu dim ond un seremoni byr a fu yn y Neuadd Goffa, ar ddydd Mercher, 20fed o Fedi 1939.

Erbyn 1944 a'r fusnes yn ymdrechu i oroesi'r rhyfel, gan fod dogni ar bopeth a phethau tŷ yn gorfod bod mewn ansawdd 'Utility CC41' fe wrthododd Dan y gwahoddiad i fod yn Faer y Bwrdeisdref ar gyngor ei ddoctor, a chanolbwyntio unwaith eto ar redeg y siop.

Wedi'r Rhyfel – Heddwch

Bu newid anferth ar ôl y Rhyfel. Daeth y Blaid Lafur i rym ac fe genedlaetholwyd llawer o'r diwydiannau mawrion, fel glo, dur, y rheilffyrdd a'r dociau, a hefyd fe grewyd y Gwasanaeth Iechyd.

Ond parhau fyddai dogni am flynyddoedd eto gan wneud amodau masnachu'n anodd.

Digwyddiad pwysig iawn yn 1945 oedd i Alcwyn Evans, mab Dan, ymuno â'r fusnes wedi cyfnod ym mhrifysgol yn Llundain. Yn ddyn ifanc bywiog a phoblogaidd, roedd yn barod yn adnabod pawb yn y siopau trwy ei ymwneud cyson gyda'r tripiau a'r cyngherddau ac ati a gynhaliwyd gan y cwmni, ac achlysuron eraill pan fyddai'n helpu adeg gwyliau.

Roedd hefyd yn gerddor gwych ar y piano a'r organ, ac fe ddaeth yntau yn ei dro yn brif organydd Tabernacl. Mae hanes amdano yn canu'r organ ar gyfer gwasanaeth oedd yn cael ei ddarlledu ar radio'r BBC – yn fyw! Ar ddiwedd yr oedfa, roedd y gweinidog wedi creu pregeth rhy fyr, felly wedi'r gras, roedd gofod yn y darlledu – panic – felly arwyddodd y cyfarwyddwr i Alcwyn barhau â'r gerddoriaeth ar yr organ nes terfyn y darllediad, ac felly y bu.

Gofynnodd y cynhyrchydd i Alcwyn wedyn: Beth oedd y gerddoriaeth a ganodd ar yr organ? Yr ateb mai byrfyfyr oedd yr holl beth, yn ei ben oedd y cyfan.

Wedi i Alcwyn ddod, yr oedd yn awr yn wir siop deuluol gyda thri ohonynt yn ymwneud â'r gwaith. Wrth gwrs, gan ei fod yn ddyn ifanc, ac wedi bod yn Llundain yn y coleg cyhyd, fe ddaeth Alcwyn â syniadau newydd a chyffrous gydag ef.

Un peth pwysig yr oedd yn rhaid wneud oedd moderneiddio'r dulliau o gludo nwyddau.

Hyd hynny, o'r dechrau oll, fe gludwyd yr holl nwyddau

gan drol a cheffyl. Roedd rhwydwaith o lwybrau cludo a dydd Gwener oedd tro'r Fro, ac fe fyddai'r drol a cheffyl yn ymlwybro ar hyd lonydd culion yn danfon nwyddau, ac yn bwysicach, paraffin o danc mawr ar gefn y drol.

Ni chysylltwyd ffermydd pellennig y Fro â'r grid trydan tan y pumdegau, felly roeddent yn ddibynnol ar baraffin i oleuo ac mewn sawl lle i wresogi'r ffermdai. A dweud y gwir, fe barhaodd y gwasanaeth paraffin tan ganol y chwedegau.

Mi fydde'n ddiwrnod hir ar ddydd Gwener, yn ymweld â phentrefi megis Tresimwn, Tregolwyn, Llanfair, Sain Tathan, Aberddawan, Llanbleiddian, Llanmaes ac ati.

Un tro, ar ddiwrnod poeth o haf ac yntau yn dychwelyd i'r Barri wedi bod o amgylch y Fro, daeth yr hen geffyl i stop yn llwyr ar yr allt hir rhwng Sain Tathan ac Aberddawan, yn wir roedd wedi blino cymaint fel y gorweddodd ar lawr ac yntau yn dal yn y tresi.

Ni wyddai'r crwt ifanc oedd yn gyrru beth i'w wneud. Doedd neb yn pasio a phryd hynny doedd dim ffôn i'w gael yn y wlad i ofyn cyngor o'r siop. Ond fe gafodd syniad! Roedd yn haf hirfelyn tesog a gwair wedi ei dorri yn y cae cyfagos yn gorwedd i sychu yn yr haul.

Aeth i nôl peth a'i gynnig i'r ceffyl fel abwyd. Dim symud.

Yna, cafodd syniad arall – nôl ychwaneg o'r gwair a'i osod o amgylch yr anifail – yna cynnau matsien a'i daflu i mewn i'r gwair. Wel, fe neidiodd y ceffyl i fyny mewn ofn – rhwygo strapiau'r tresi a charlamu i ffwrdd, gan adael y drol a'r gyrrwr druan yn y fan a'r lle.

Afraid dweud na pharodd y gyrrwr yn hir yn ei waith.

Dywed Gwynfor stori am yrrwr arall, ac un o'i gas bethau oedd cerdded llwybr at dŷ i ddilifro pot dan gwely, neu bot pi-pi. Byddai Gwynfor yn mynd allan weithiau gyda'r gyrrwr hwn, pan oedd yn ifanc iawn yn yr 1920au cynnar, ac er mwyn osgoi'r embaras o gludo un o'r potiau hyn, byddai'n cynnig ceiniog i Gwynfor am wneud y gorchwyl drosto.

Felly yn 1945 penderfynwyd hepgor y ceffyl a mynd am gerbyd mwy modern. Cafwyd fan fach ar gyfer nwyddau bychain cyffredin, ac un tipyn mwy er mwyn cludo dodrefn, ac un mwy penodol gyda thanc paraffin fawr yn y cefn ar gyfer y Fro a gan bod y gallu ganddynt yn awr i fynd ymhellach, gryn dipyn y tu hwnt i'r Fro.

Yn y cyfamser, gyda chrebachu ar y diwydiant glo, daeth diwydiannau newydd i'r Barri. Daeth BP Chemicals ac agor ffatri fawr yn nwyrain y dref, a dechrau ar gynhyrchu'r deunydd newydd – plastig. Gerllaw fe ddatblygwyd ystâd ddiwydiannol newydd o dan bolisi newydd y Llywodraeth i ailgyfeirio busnesau.

Yn hanes Dan Evans, prynwyd dwy siop yn y bloc nesaf i'r rhai gwreiddiol ac ar y gornel yn wynebu Sgwâr y Brenin, sef rhifau 99-101 Holton Road. Yma fe agorwyd adran arbenigol ar gyfer paent a phapur wal o dan ofal Billy Messenger ac egin o adran oedd yn gwerthu popeth trydanol.

Drwy hyn, roedd yn bosib troi 81-85 yn un siop ar gyfer celfi a charpedi a deunydd ffenestri a gwely. Ac fe lwyddwyd i greu 'ystafelloedd' wedi'u dodrefnu a'u harddu i gyfleu i gwsmeriaid fel y 'gallai' eu cartrefi hwythau ymddangos. Roedd Reg Pitman wedi ymuno â'r cwmni ymhell cyn y rhyfel, ac ef gyda help Jack Spencer, oedd â llygad gwych am ffurf a phatrwm oedd yn creu'r arddangosfeydd hyn.

Yn y llawr isod, o dan y llawr gwaelod, fe gaed y gorchuddion llawr 'esmwyth' megis 'linoleum' a 'congoleum' gyda chelfi cegin, a hefyd offer ar gyfer crefftwyr megis seiri coed a maen. Roedd y rhain yng ngofal Viv Hewins a John Llewellyn gyda Bill Carr yn gydweithiwr iddo. Cau fu hanes yr Ystafell Blu gan fod matresi spring mewnol i'w cael erbyn hyn.

81-85 yn arddangos dodrefn tua 1949

Gydag Alcwyn yn cyflawni gwaith rheolwr mor effeithiol, penderfynodd Dan gamu nôl ychydig o'r gorchwyl hwnnw. Yn hytrach, datblygodd i fod yn 'wyneb' y cwmni gan sefyll o fewn y prif ddrws, yn cyfarch y bobl, yn holi am hwn a'r llall ac yn eu cyfeirio i'r gwahanol adrannau.

Un tro, daeth menyw ifanc i mewn a oedd yn disgwyl ei babi cyntaf. Roedd yn chwilio am grud a phram. Cyfeiriodd Dan hi i fyny'r grisiau i'r adran yno. Ymhen rhai munudau daeth i lawr gyda golwg o ofid a siom ar ei hwyneb.

Holodd Dan beth oedd yn bod.

Dywedodd ei bod wedi gosod ei bryd ar y pram oedd yn y ffenest, ond roedd y ferch yn yr adran wedi dweud fod dim posib cyffwrdd â hwnnw, gan ei fod yn rhan o'r arddangosfa ffenestr. Camodd Dan yn syth i fewn i'r ffenest a gafael yn y pram a'i dynnu allan. Yna galwodd ar y ferch o'r adran i ddod lawr a rhoi label arno a'i gadw ar gyfer y cwsmer. Yn nhyb Dan, dyma oedd estyn gwasanaeth. Doedd dim i ddod rhwng y cwsmer a'u dymuniadau. Rhaid oedd mynd allan o'ch ffordd i'w diwallu.

Gyda thafod yn y boch ond hefyd â chryn dipyn o wirionedd, gwnaeth rhywun roi arwydd bach i fyny ar y wal yn ystafell orffwys y staff unwaith:

'Company Rules'

Rule 1: The customer is ALWAYS right!

Rule 2: Should the customer be mistaken – then Rule 1 applies!

Ac yn fras dyna oedd arwyddair y cwmni, sef ewch y cam ychwanegol i roi boddhad i'n cwsmeriaid. Byddai hyn fel arfer yn golygu ein bod yn gwneud ffrindiau â'n cwsmeriaid ac y byddent yn dod yn ôl atom am gyngor ac roedd gobaith y byddent yn ein cefnogi yn fasnachol.

Efallai mai dyma'r lle gorau i ddisgrifio rhyw ddameg bach am ofal ein cwsmeriaid. Stori am deulu ydyw. Gwraig weddw – Mrs Isaac, chwech o ferched ac un mab, Henry Isaac. Fel y tyfent yn fenywod, ni fethodd yr un o'r merched gael gwaith, unai mewn gwasanaeth neu mewn siopau, neu briodi.

Ond gwahanol oedd profiad Henry yn nyddiau cynnar yr ugeinfed ganrif. Cyngor ei fam wnaeth newid pethau. Ei chyngor oedd y dylai fynd i'r môr yn llongwr. Ac felly y bu.

Ymunodd â chwmni mawr yng Nghaerdydd sef Reardon Smith, ac wedi dringo'r ysgol swyddi yn raddol, teimlodd ddigon o sicrwydd i ofyn i'w ddyweddi ei briodi. Ac fe'u priodwyd yn 1926, gan fynd i fyw mewn fflat yn y Parade ar bwys yr Hen Harbwr yn y Barri.

Yn fuan wedyn, fe'i dyrchafwyd yn gapten llong fasnach gyda Reardon Smith a phenderfynwyd prynu tŷ yn Romilly Park, Y Barri, tŷ o'r enw Tresco sydd yn dal yno, ddau ddrws i lawr o'r tŷ lle rydw i'n byw ar hyn o bryd.

Fel mae'n digwydd fe arbedais rai hen ddyddlyfrau cownt o'r hen warws cyn ei werthu ac yno o dan yr enw Isaac mae'r holl ddelio a wnaeth yn y siop trwy ei gyfrif. Er mai 'Goods' yw disgrifiad y delio, pethau ar gyfer eu tŷ newydd

Teulu Isaac

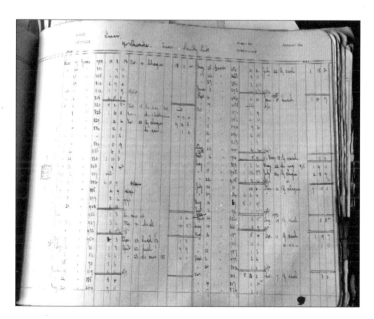

Ledger Isaac

sydd yno (sylwer fod eu cyfeiriad yn y Parade wedi ei ddileu a'r cyfeiriad newydd wedi ei ychwanegu). Erbyn 1930, roedd Eileen wedi cyrraedd Tresco, merch fach iddynt, ac mae'n siŵr mai pram neu grud oedd rhai o'r 'goods' ar y llyfyr cownt.

Torrodd y Rhyfel Byd 1939-45 ac fe wasanaethodd Henry yn y llynges fasnach yn cludo bwydydd a nwyddau hanfodol i ddociau Caerdydd. Ond yn 1943, ymosodwyd ar y llong a'i suddo – gyda Henry, fel capten, yn sefyll ar ei phont tan y diwedd ac yn mynd i lawr gyda'i long.

Parhaodd y fam weddw a'r ferch Eileen i fyw yn yr un tŷ ar ôl hynny, ac fe briodwyd hi ag Arvan Hughes a symudodd i fyw gyda nhw. Cawsant hwythau ddau o blant. Bu Mrs Isaac farw yn 1980 ac o dipyn i beth fe adawodd y plant i fynd i'w gwahanol ffyrdd.

Ond mae Eileen ei hun yn dal yno, ac mae posibilrwydd olrhain yr holl ddelio fu rhwng Dan Evans a'r teulu hwn o 1926 tan 2006! Fel gyda sawl teulu arall mae'n siŵr.

Diolch i Eileen am y llun a'r hanes.

41

Y Pumdegau

Esgorodd y pumdegau ar adeg o obaith a hyder am y dyfodol. Daeth dogni bwyd a loshin i ben. Lansiwyd gwasanaeth teledu o'r Wenfô i wasanaethu'r de. Bathwyd y term 'arddegau' lle'r oedd pobl ifainc yn gwisgo yn ôl eu mympwy yn hytrach nag efelychu steiliau eu rhieni.

Nid oedd Dan Evans wedi mynd i gyfeiriad dillad eto – canolai ar nwyddau ar gyfer tŷ a gardd. Ond fe ddatblygwyd yr adrannau hyn i gyfarfod â'r dechnoleg newydd. Cyn dyfodiad trydan, yn gyffredinol byddai pobl yn dibynnu ar fatris oedd yn cael eu ailwefru yn y siop.

Rwy'n cofio stori gan Jacob Davies ynglŷn â hyn lle'r oedd ffarmwr uniaith Gymraeg yn mynd â'i fatris radio i'w hail-lenwi yn Aberteifi a dweud wrth y siopwr:

'Fi ise rhain wedi eu hail-lanw, a hefyd mwy o Gwmrâg tro hyn plis.'

Ond roedd y pwyslais cynyddol yma ar adrannau oedd yn gweini'r gofyn cynyddol am offer trydan ac electronig yn tueddu i adael adrannau eraill ar ôl.

Er enghraifft, yr adran nwyddau haearn lle gwerthwyd bob math o drugareddau ar gyfer cegin, bathrwm neu anghenion trwsio tŷ ac ati. Hoelion! Roedd y rhain yn cael eu cadw mewn bwcedi ac yn cael eu gwerthu fesul pwys. Gellid dewis o wahanol hyd megis 1" oval, 1½" oval, 2" oval neu 1" rownd, 1½" rownd ac yn y blaen.

Beth bynnag, un tro daeth cwsmer i fyny at brentis newydd yn yr adran a gofyn am ¼ pwys o '1" ovals'. Edrychodd y crwt yn y bwced priodol a sylwi ei fod yn wag, a dweud, 'Sori, dos dim gyda ni' ac fe drodd y cwsmer ar ei sawdl a gadael y siop.

Sylwodd John Llewellyn, y rheolwr, ar hyn yn digwydd ac aeth fyny at y crwt a dweud, 'Nes ti wrthod sêl fynna, nes ti gynnig y peth nesaf iddo fe? Rhaid iti gynnig y peth agosaf i bobl, er enghraifft, dodd dim 1" ovals gennym – ond mae ¾" ovals fan hyn a 1¼" ovals fanna. Rhaid cynnig y peth nesaf i'n cwsmeriaid.'

Fe gofiodd y prentis y wers, a phan ddaeth menyw i fewn a gofyn am rolyn o *Izal, Medicated Toilet Paper* ac yntau'n sylwi nad oedd dim ar ôl, dyma fe'n dweud,

'Sori dos dim o'r Izal ar ôl gyda ni ar y foment, ond ma' gyda ni sandpaper neu conffeti!'

Ond mae'r stori yn dangos fod angen arweiniad ar rai cwsmeriaid – cyngor hyd yn oed, sydd fel arfer yn cael ei werthfawrogi.

Tua 1950 fe brynwyd lloc o dir gyferbyn â Neuadd y Dref ac fe fentrodd Alcwyn gael caniatâd cynllunio i ailadeiladu 'Nissen Hut' o adeg y rhyfel ar y plot.

Fe ganiatawyd ar yr amod fod y façade mewn bric i weddu'r ardal o'i amgylch. Caniatâd cynllunio dros dro oedd hwn a'r bwriad oedd agor adran drydan gynhwysfawr yno gyda pheiriannau golchi, glanhau, coginio yn ogystal ag arddangosfa o oleuo, gyda'r holl atodiadau, megis socedi, plygiau, bylbs, gwifrau cysylltu, popeth y disgwyliech ei gael mewn adran o'r fath, a'r cwbwl dan reolaeth Harry Rolfe gyda Les Wells a Phyllis Begley yn ei helpu – crewyd gweithdy yn y cefn hefyd lle gallai Bill Harper fynd ati i gynnal a chadw a thrwsio'r peiriannau. Bill fyddai hefyd yn ailweirio neu drwsio unrhyw broblemau drwy'r adeiladau i gyd.

Un o'r problemau oedd yn wynebu'r adran drydan oedd y gwahanol fathau o systemau oedd wedi dod i fod ar ôl cysylltu â'r rhwydwaith drydan.

Yn gyntaf roedd yr hen system MK lle'r oedd pob soced unigol yn cysylltu gyda blwch ffiws canolog. (Yn y dyddiau cynnar mi fuasai hyn yn ddigon). Pan symudon ni i'r tŷ presennol yn 1978, dim ond dau soced oedd yn y lle – yr un

Bill Harper – Parti Nadolig
Aelodau o'r Adran Deganau yn 1969
gyda (o'r chwith i'r dde):
Doris Harper, Iona Davies, June
Mitchum, Joyce Morgan, Debbie
Bruno, Nellie Nott, Sharon Evans,
June Smith, heb gofio enwau'r cryts
ifanc ond yn eu canol June Watkins,
Len Morgan (gyda sbectol)
ac wrth gwrs Bill Harper

wrth y bocs popty yn y gegin ac un yn y parlwr – doedd dim soced yn y llofftydd o gwbl.

Yna roedd system Wylex, lle cafwyd plwg gyda dau bin sgwâr – un bob ochr i bin crwn yn y canol – ond roedd posib rhoi plwg arall llai o faint mewn i gefn hwn. Nid oedd ffiws yn yr un ohonynt – dibynnai'r system ar y blwch ffiws canolog eto.

Yn olaf, y system ryfeddaf ohonynt oll – ond effeithiol serch hynny – system Dolman and Smith (D&S). Roedd hwn yn debyg i'r MK gwreiddiol sef tri phin crwn gyda'r pin mawr yn cysylltu â'r ddaear ar dop y triongol. Ond yn y system D&S roedd y pin byw hefyd yn ffiws – gellid ei sgriwio mewn ac allan, felly os oeddech yn chwythu ffiws, dim ond newid y pin oedd raid.

Yr olaf oedd y system pin sgwâr MK lle cafwyd ffiws unigol o fewn y plwg ei hun ac fe ellid newid gwerth y ffiws hwnnw yn dibynnu ar ba fath o offer oedd yn cael ei weini ganddo. A hwn a fabwysiadwyd fel y safon yn y chwe degau hwyr – felly aeth y gweddill yn ofer.

Er mai caniatâd cynllunio dros dro oedd gan yr adeilad hwn, bu'n gwasanaethu'r cwmni tan 1988 pan y'i dymchwelwyd a'i ailddatblygu. Fe adeiladwyd adeilad arddangos gyda ffenestr enfawr yn wynebu'r sgwâr, ac fe ddefnyddiwyd hwn i hyrwyddo nid yn unig nwyddau'r siop

Ffenest y Sgwâr
Arddangosfa o gynnyrch 'Hoover' gyda'i ffatri ym Merthyr Tudful 1965
adeg Gŵyl Gyhoeddi Eisteddfod y Barri

ond hefyd achlysuron cyhoeddus – megis yr Eisteddfod neu achlysuron cymunedol eraill.

Yn y darlun a ddangosir, ceir modelau diweddaraf cwmni Hoover, fe gynhyrchwyd y rhain i gyd yn ei ffatri fawr ym Merthyr Tudful, ac fe ddatblygwyd y fasnach rhwng Dan Evans a Hoover i fod y mwyaf yn ne Cymru. Byddai Hoover yn cynnig gwobrau hael yn flynyddol am y cyfrifon gorau rhanbarthol, ac yn ddi-os bron, Dan Evans fyddai yn eu hennill.

Daeth datblygiadau eraill yn y dref a fyddai'n effeithio ar ddatblygiad y fusnes.

Wedi'r diwydiant glo, fwy na heb, ddiflannu o'r dociau daeth mentrau eraill i gymryd ei le, ond y tro hwn, roedd y pwyslais ar fewnforion ac nid allforion. Roedd melin Rank wedi bod yno ers 1906 yn mewnforio grawn i'w falu yn fwyd

Y 'Geestland' yn y dociau – 1957

i anifeiliaid ac yn flawd ar gyfer pobi (erbyn heddiw mae wedi cau ers blwyddyn). Ac yna yn 1957 daeth cwmni Geest i fewnforio bananas o India'r Gorllewin a llysiau eraill. Yn ogystal, byddai'r llongau yn cario teithwyr draw i'r Caribî fel rhyw fath o criws ecscliwsif – dim ond dwsin o bobl oedd yn cael mynd arni.

Pan oedd y llongau bananas yn cael eu dadlwytho i lawr yn y dociau, byddai aelodau'r criw – o'r Caribî i gyd – yn crwydro'r dref, yn mynychu'r caffis a'r tafarnau ac yn siopa gan brynu eitemau fel beiciau ac offer electronig nad oedd i'w cael yn yr ynysoedd ond am grocbris.

Y drafferth oedd bod yn rhaid iddynt dalu treth ar y pethau newydd hyn ar ôl cyrraedd yn ôl yn yr ynysoedd. Felly golygfa eithaf cyffredin oedd eu gweld yn marchogaeth beiciau yn wyllt i fyny ac i lawr y strydoedd, a defnyddio'r offer trydan ac electronig newydd fel byrddau gan adael marciau gwaelod cwpanau coffi, neu ysgathriadau mân ar eu hyd fel nad oedd rhaid talu'r trethi ychwanegol arnynt, adref.

Ond yn ddieithriad, pleser pur oedd croesawu'r bois yma i'r siopau – cymeriadau bob un.

Mae hyn yn dod ag atgof arall am hanes a ddywedwyd gan un o'n gyrwyr. Archebodd ffarmwr o ryw bentref yn Sir Frycheiniog, wely gennym – ffrâm pren un darn ar gyfer matres ddwbwl. Roedd Dan Evans yn hysbysebu cludiant am ddim i unrhyw le yn ne Cymru, ac mae'n amlwg fod y ffarmwr wedi cymryd mantais o hyn.

Pan gyrhaeddodd Awbery y ffarm, aeth y fatres i fyny i'r llofft heb drafferth, ond gan fod tro go dynn yn y grisiau, nid oedd modd cael y difán i fyny. Ar amrantiad aeth y ffarmwr allan o'r tŷ a dod nôl â llif yn ei law ac aeth ati i lifio'r difán yn ei hanner.

Roedd Awbery yn fud o weld hyn, ond ymateb y ffarmwr oedd: 'Fy ngwely i yw e, fi wedi talu amdano, galla'i neud unrhyw beth fi'n moyn da fe' a dyna fel y bu. Cafwyd y gwely i'r llofft – aeth y ffarmwr allan eto a dod nôl â dau ddarn o bren ac asiodd y difán nôl at ei gilydd gyda hoelion a morthwyl a chyn belled ag yr ydym yn gwybod maent yn dal yn hapus.

O ddod yn ôl at fois y Caribî a chwmni Geest, cefais i a'm gwraig Rhoswen brofiad od yn 1986. Roedd Dan Evans wedi ennill gwobr Hoover eto, ac fy nhro i oedd cymryd mantais ohono, sef wythnos i ddau yn St Lucia yn y Caribî.

Wel am wyliau, cawsom amser bendigedig, a thra oeddem yn cerdded o amgylch dociau Castries – y brif dref, beth welson yno ond y llong *Geestland* yn llwytho ar ymyl y cei. Pwy feddylie!

* * *

Datblygiad pwysig iawn arall yn y pum degau cynnar oedd y galw am Addysg Gymraeg i blant yn y Barri.

Fe gynhaliwyd y pwyllgor cyntaf yn nhŷ Dan a

Catherine a oedd erbyn hyn wedi symud i Park Road, yng ngorllewin y dref ac fe gytunwyd sefydlu egin o ysgol gyda thua dwsin o blant mewn festri capel yn Nhregatwg.

Wedi'r sefydlu, cafwyd problemau di-ri i gael adran addysg y Cyngor i fabwysiadu'r ysgol, ac fe'i agorwyd yn swyddogol mewn adeilad capel ar bwys castell y Barri – Ysgol Sant Ffransis.

Gan fod y disgyblion yn dod o bob ardal o'r dref, rhaid oedd trefnu trafnidiaeth iddynt. Ac i'r adwy, daeth Dan Evans drwy drefnu i Awbery Beasley, un o yrwyr y cwmni, i alw yng nghartrefi'r disgyblion yn y bore, a'u cludo i'r ysgol yng nghefn fan, ac yna eu casglu yn y prynhawn i'w dychwelyd adref. Aeth hyn ymlaen am flynyddoedd nes bod trefniadau mwy ffurfiol yn cael eu gwneud gan y Cyngor. Pan briododd Alcwyn yn 1952, bu llif cyson o ddisgyblion newydd ar gyfer yr ysgol (cafodd Alcwyn a Llywela chwech o blant gyda Geraint yr hynaf yn cael ei eni yn 1953).

Nôl yn y siop, roedd angen mwy o le eto i ymestyn yr adran hardwer i ddygymod â'r galw mwy oedd yn gyffredin am nwyddau 'Gwnewch eich hunan' (DIY). I'r perwyl hwn fe balwyd islawr o dan y llawr gwaelod i gadw deunydd fel estyll pren a harbord a'r tŵls oedd angen ar gyfer y ffenomenon newydd hwn, golygai hyn fod yna bedwar llawr yn awr yn rhifau 81-85 Holton Road, felly er mwyn hwyluso symud rhwng y lloriau fe roddwyd lifft i mewn i wasanaethu'r holl loriau.

Tua'r un adeg yn 1957 fe brynwyd y siop oedd gyferbyn â rhif 81, sef y siop y gwelwyd ei adlewyrchiad yn ffenest Dan Evans yn y llun cynharaf – y siop loshin, rhif 96 Holton Road.

Roedd tri llawr i'r adeilad hwn a phenderfynwyd defnyddio'r llawr gwaelod fel adran meithrin, lle'r oedd popeth ar gyfer babanod a phlant ifanc, megis pramiau, cadeiriau gwthio, popeth oedd ei angen i ofalu am blentyn hyd at dair oed. Ac fel estyniad o hyn fe agorwyd adran newydd i werthu dillad plant hyd at un ar ddeg oed.

Fel yng ngweddill y siop, dim ond nwyddau o'r ansawdd gorau oedd yn cael eu cynnig – Silver Cross, Marmet, Restmor a Pedigree yn yr adran feithrin a labeli megis Ladybird a Trutex yn y dillad plant. Ar y llawr top a'r islawr fe gadwyd y stoc ychwanegol ar gyfer yr adrannau hyn.

Datblygiad newydd arall oedd agor adran deganau dros dro ar y llawr gwaelod o fis Hydref tan fis Ionawr, ac i'r perwyl hwn, rhaid oedd symud yr eitemau mawr o'r adran feithrin, draw i rif 81 i adran oedd yn llai prysur yr adeg honno o'r flwyddyn – megis dodrefn.

Rwyf wedi sôn yn barod am y clwb cynilo oedd wedi bod gan y siop ar gyfer hwyluso prynu peiriant Hoover. Wel, fe ddatblygwyd hwnnw i fod yn glwb safio cyffredinol, yr '*Ideal Home Club*'. Recriwtiwyd pobl fel John Donkin a Harry Palser i alw yng nghartrefi'r aelodau er mwyn derbyn taliadau ar gyfer y clwb – yn y diwedd fe drodd hwn i fod yn glwb oedd yn estyn credyd i'r cwsmeriaid, ar ôl llacio'r gyfraith ynglŷn â benthyg arian.

Agorwyd system gynilo hefyd yn yr adran deganau yn benodol y '*Toy Club*' – lle'r oedd cwsmeriaid yn gallu rhoi ychydig o'r neilltu bob wythnos, fel bod swm bach go lew ganddynt erbyn y Nadolig. Fe allent dynnu ar y gronfa yma unwaith roedd y teganau yn cyrraedd ym mis Hydref drwy gadw tegan o'u dewis, ac fe fuasai Dan Evans yn ei labelu a'i roi'n saff yn y warws tu cefn i'r siop tan y Nadolig.

Doedd dim heip bryd hynny a ddaeth gyda hysbysebu ar y teledu, felly roedd y system yn hawdd i'w rhedeg. Gwahanol iawn oedd pethau yn nes ymlaen yn y 60au ac wedyn pan gafwyd '*fads*' a '*crazes*' gyda'r gofyn am deganau penodol yn mynd drwy'r to. Ond stori arall yw honno.

Un o uchafbwyntiau tymor y Nadolig i'r plant oedd ymweliad Siôn Corn, ac fe neilltuwyd cornel yn yr adran

Siôn Corn yn ei groto

deganau i greu groto ar ei gyfer. Nodwedd braf yn Dan Evans oedd bod ein Siôn Corn ni yn siarad Cymraeg. Jack Jones y saer oedd hwnnw. Gŵr hynaws, yn wreiddiol o Twynllannan ger Llyn y Fan. Symudodd i'r Barri i fod yn saer i gwmni Dan Evans, ac efe, ynghyd â Ted Webb y maswn oedd yn gyfrifol am wneud yr holl newidiadau i'r adeiladau, ynghyd ag ambell i brentis.

Tua'r Nadolig byddai'n arfer gan Dan Evans gymryd neuadd yn hostel Glan y Môr ger Cold Knap, er mwyn cynnal parti Nadolig, lle'r oedd y staff i gyd yn dod at ei gilydd i gael cinio Nadolig ac adloniant.

Auld Lang Syne – 3ydd o'r chwith: Dan Evans,
3ydd o'r dde: Alcwyn Evans

Byddai rhai o wags y cwmni yn perfformio sgets neu ddwy, ac yn un o'r rhain un tro cafwyd Jack Jones wedi ei glymu i bolyn gyda'r Indiaid Cochion yn rhedeg o'i amgylch gyda phlu yn eu gwalltiau a tomahôcs yn eu dwylo.

Yn sydyn dyma un ohonynt yn rhuthro tuag at Jack a chyda 'thrawiad' y tomahôc fe gododd y cydyn gwallt o ben Jack – cafwyd sgrech gan lawer o'r merched. Doedd dim llawer ohonynt yn gwybod y gwisgai Jack wig! Di-wigiad yn wir!

Ar ddiwedd y noson, caed canu carolau, ac i orffen 'Auld Lang Syne'.

1960au – Y Symud Mwyaf

Ar ddechrau'r 60au, roedd strwythur y fusnes fel a ganlyn:

81-85: Dodrefn, carpedi, gorchudd llawr, offer tŷ a gardd, DIY, celfi cegin, radio a theledu, Swyddfeydd Cyfrifon a Swyddfeydd Dan ac Alcwyn a Doris Jones (Ysgrifennydd y Cwmni).

Llawr top cafwyd gweithdai radio a theledu a 'Boardroom'.

85c ar y gornel gyda Newlands Street: Adran lestri – llawr gwaelod yn unig, gan fod swyddfeydd J. A. Hughes y cyfreithiwr uwchben.

Cornel Holton Road a King's Square: Adran papur wal a phaent ac yn y 'Nissan Hut' (dal yno bryd hynny), adran trydan, goleuo gyda gweithdy Bill Harper yn y cefn.

Wrth ymyl y 'Nissan' roedd y ffenest fawr arddangos oedd yn cael y cynnwys wedi ei newid yn rheolaidd i adlewyrchu adrannau gwahanol.

Siop D. C. Jones – Dan Evans drws nesaf lan

Cyril Parry ar y dde – George Cooper ar y chwith

Roedd newid ar fin digwydd yng nghanol y dref – dymchwelwyd y siopau oedd yn ffinio â Neuadd y Dref i fyny hyd at dafarn y Windsor gan fod yr adeiladau wedi dirywio, ac fe godwyd rhes o siopau 'modern' dienaid yn eu lle.

Un o'r siopau a ddymchwelwyd oedd un George Cooper – *Men's Outfitters* a thua'r un pryd fe gaeodd siop ddillad dynion D. C. Jones oedd y drws nesaf i 81 Holton Road. Roedd hyn yn gadael gofod yn y dewis ar gyfer dillad dynion. Felly aed ati i ddatblygu rhifau 99-101 Holton Road yn ffinio â chornel y sgwâr yn adran ddillad dynion gan ddenu George Cooper a Cyril Parry i redeg a gweithio yn yr adran. Am dipyn, daeth Charles Jones o D. C. Jones atynt i helpu.

Cynigiwyd y mân eitemau fel crysau, teis a dillad isaf ar y llawr gwaelod ac yna, siwtiau a chotiau yn y llofft. Dyma'r tro cyntaf i'r siop ymgymryd â dillad ers agor dillad plant yn 1957.

* * *

Priodas Aur
Chwith: Gwynfor (i'r dde o'r polyn), Dafydd tu ôl i Meinir, yna Llywela
a'i dwylo ar ysgwydd Owen, Tudor Pritchard tu cefn i'w wraig Ceridwen,
Dan gyda Branwen o'i flaen, Gareth a Carys Howe, Catherine a Rhys
Dyrfal, Meleri Mair, Guto Prys (o flaen y postyn) a Rhiannon

Yn 1961 fe ddathlodd Dan a Catherine Evans eu priodas
aur. Mae'r darlun yn eu dangos yng nghanol rhai o'u teulu
yn fferm Wernellyn, Llangadog. Roedd Dan yr adeg hon, yn
dal i fynychu'r siop gan wneud ei hoff orchwyl sef croesawu
pobl.

* * *

1962, a dyna flwyddyn y fenter fwyaf erioed efallai i gwmni
Dan Evans ymgymryd â hi ers agor y siop gyntaf yn 1905.
    Fe brynwyd siop dilledydd John Jones oedd gyferbyn â'n
hadran ddynion, adeilad eithaf mawr a dwfn gyda digon o le
yng nghefn yr adeilad i gael warws bychan ac yn cefnu ar y
stryd (Merthyr Street) lle'r oedd Dan Evans wedi prynu hen
adeilad ymgymerwyr Adams i fod yn garej a warws. (Yn

Adams y cafodd y Blew, grŵp roc Cymraeg cyntaf, eu hymarfer cyn perfformio yng Nghaerdydd ac yna Top Rank, Abertawe.)

Er bod John Jones yn gwerthu dillad dynion a charpedi a defnydd llenni ac ati, penderfynwyd mai siop ffasiwn merched fyddai'r prif flaenoriaeth.

Rhythynnod Tŷ Gwelli, Hen Bentref Y Barri
Thatched Cottages, Old Barry c. 1900

Penderfynwyd hefyd y byddem yn agor ystafell goffi, ac fe gomisiynwyd Nesta Howe, cyfnither Alcwyn i gynllunio honno. Roedd Nesta yn barod wedi agor restaurant yng Ngwesty'r Mountsorrel yn y dref ac wedi cael llwyth o brofiad yn gweini yn yr Unol Daleithiau. Yn ddisyndod, dewisodd garthenni Cymreig ar gyfer llenni'r ffenestri a naws Gymreig i'r detholiad bwyd gwreiddiol. Cafwyd piano hefyd i'r ystafell a phianydd profiadol i roi miwsig tawel ymlaciol.

Lolfa Goffi
Dan Evans
Coffee Room

Ystafell Goffi

Denwyd Emrys Lewis o ardal Cwm Gwendraeth i fod yn reolwr cyffredinol ar yr adeilad newydd hwn. Cafodd dipyn o brofiad mewn siopau mawr yn Llundain cyn dod i'r Barri i reoli siop Madge Evans (dim perthynas) ychydig ddrysau i fyny o John Jones.

Gyda'i help ef, fe recriwtiwyd prynwyr da ar gyfer yr isadrannau – Miss Harman o Lundain ar gyfer y brif adran ffasiwn, May Rees yn yr adran hetiau (*milliner* profiadol), Rose Dunkley gyda'r dillad isaf, Meg Whittaker yn yr adran *separates* a Helen Williams i'r adran sanau.

Hefyd cafwyd adran drugareddau (*haberdashery*) oedd

Emrys Lewis (ar y chwith) gyda'r carthenni ar y ffenestri
yn cyflwyno gwobr i gwsmer – Tom Morgans, Cynrychiolydd
'Chichester Stainless Steel' a roddodd y wobr ar y dde

yn ogystal yn gwerthu peiriannau gwnïo a phenderfynwyd symud yr adran defnydd llenni draw o 81 i ymuno gyda'r adran defnydd dillad (*dress materials*).

I gyd-ddigwydd â hyn symudwyd y gweithdy llenni a gorchuddion dodrefn o Dock View Road i adeilad Adams, oedd wrth gefn John Jones, felly roedd yn weddol hawdd i gario'r rholiau defnydd o'r adran, oedd ar yr islawr ond agorai allan i'r cefn, draw i warws a gweithdy Adams, ac Adams fu ei enw hyd y diwedd.

Agorwyd hefyd adran dillad ysgol a phan agorwyd Ysgol Rhydfelen fel yr Ysgol Gyfun Gymraeg gyntaf yn y de, Dan Evans oedd y lle i ddod i gael iwnifform. Yn hwyrach buasai Dan Evans yn rhoi canran o bris y wisg fel rhodd i'r ysgolion penodedig.

Tra oedd yr holl ddatblygu a symud yn digwydd,

Rhydfelen ar y chwith – Barry Boys ar y dde

cynlluniwyd altro blaen yr holl adeiladau i gael golwg corfforaethol i'r cwmni gyda steil unffurf i'r enw uwchben bob siop gan ein bod yn awr mewn pedwar gwahanol bloc.

Yn yr un modd cafwyd steil unffurf ar gyfer y fflyd o faniau a oedd gennym, tua saith ohonynt erbyn hyn – i gyd yn wahanol feintiau ar gyfer gwahanol swyddi. Mabwysiadwyd steil unffurf hefyd ar gyfer biliau, anfonebau, archebion a phapur ysgrifennu.

Cyn hyn hefyd, roedd yn rhaid i gwsmeriaid dalu am eu nwyddau wrth ddesgiau canolog ym mhob bloc. Nid oedd tils gennym eto, felly rhaid oedd ysgrifennu'r manylion ar bapur dyblygol, ei gymryd at y pwynt talu lle'r oedd yr arian yn cael ei dderbyn, cadw un copi ar gyfer y swyddfa a stampio 'Talwyd' ar y llall fel derbynneb.

Er bod y system hon yn addas o hyd ar gyfer 81-85 gan mai nwyddau mawr a ofynnai am gael eu danfon oedd yno, a lle lleolwyd y brif swyddfa gyfrifon, teimlwyd fod angen cael system mwy diogel a llai amrwd ar gyfer y gweddill.

Gosodwyd system 'Lamson Paragon' ar floc y Sgwâr ac yn y siop newydd ffasiwn lle cafwyd rhwydwaith o beipiau gyda bocs ar ben pob peipen ym mhob adran a phen arall y peipiau i gyd mewn un swyddfa ar dop yr adeilad.

Yng nghefn yr adeilad, cafwyd peiriant trydan mawr yn gyrru pwmp faciwm ac ym mhob terminus yn yr adrannau cafwyd set o silindrau tua maint tun o ffa pôb. Pan oedd y cwsmer am dalu, rhoddwyd y bil dyblygol a'r arian yn y silinder, ac o gau clawr y terminus fe sugnwyd y silinder yr holl ffordd lan i'r swyddfa. Byddai Mrs Osborne y clerc yn y swyddfa wedyn yn rhoi unrhyw newid oedd angen a'r dderbynneb wedi'i stampio yn ôl yn y silinder a'i ddodi yn y chwaer diwb i'w sugno nôl lawr i'r adran.

* * *

Sioe Ffasiwn – Neuadd Goffa

Gyda dyfodiad y siop ffasiwn, cafwyd y cyfle i wneud gwaith hyrwyddo'r adrannau hynny drwy gynnal sioeau ffasiwn yn y dref, ac ar yr un pryd cael y cyfle i godi arian at elusennau lleol. Cynhaliwyd sawl un mewn cyrchfannoedd mawr iawn, fel y Neuadd Goffa, gyda'r lle dan ei sang!

Codwyd arian at fudiadau fel y Bad Achub, yr Ysgol Gymraeg, yr Ysbyty lleol ac wrth gwrs yr Eisteddfod Genedlaethol oedd yn dod i'r Barri yn 1968. A sôn am gefnogi mentrau Cymraeg, ni chollai'r cwmni gyfle i hysbysebu mewn cylchgronau, neu bapurau Cymraeg.

Sioe Ffasiwn y Steddfod

Cymerwch y cylchgrawn *Hon,* er enghraifft. Cylchgrawn arloesol ond yn anffodus – byrhoedlog. Ond roedd Dan Evans yno yn hysbysebu, yn 1963.

Clawr Hon *a hysbyseb Dan Evans*

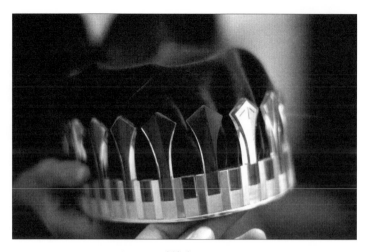

Coron Steddfod y Barri, 1968

Yn ôl at yr Eisteddfod – yn ogystal â noddi rhai o'r gwobrau perfformio, cwmni Dan Evans wnaeth gyflwyno'r goron. Ac yn addas, gan mai plastig oedd prif gynnyrch diwydiant y dref erbyn hyn, o blastig (acrylig) y gwnaethpwyd hi.

* * *

Pan ymunais i â'r cwmni yn 1964 yn grwtyn 22ain oed cefais fy nanfon i'r adran garpedi, oedd dan ofal Lynn Schuster – dyn syber, crefyddol, na fyddai'n ystyried prynu papur dydd Sul gan fyddai hynny'n golygu rhywun yn gweithio ar y Sabath. Dyn heb flewyn ar ei dafod oedd Lynn, ond yn gwybod ei stwff ac yn ail abal iddo roedd Wally Webber. Pan fyddai'n dawel yn yr adran, byddai Wally yn sefyll gyda'i gefn yn erbyn y gwresogydd nwy Harper 3000 gyda sigarét yn ei law dde y tu ôl i'w gefn a ddeuai i'r blaen nawr ac yn y man am bwff bach. Rhyfedd meddwl nad oedd hyn yn beth anghyffredin ar y pryd.

Ond roedd yr hyn yr oeddem yn ei werthu yn hollol wahanol i heddiw. Fel arfer – petai cwsmer eisiau carped ar gyfer ystafell, byddent yn cael eu cyfeirio tuag at un o'r tri pheil o sgwariau carped oedd gennym yng nghanol y llawr – tri pheil – tri maint:

Maint 1: 4 llathen x 3 llathen
Maint 2: 3½ llathen x 3 llathen
Maint 3: 3 llathen x 3 llathen

Wrth gwrs ni fyddai'r tai yn cael eu hadeiladu gydag ystafelloedd o'r union faint yma, felly, unai byddai'r cwsmer wedi paentio'r llawr pren o amgylch lle gorweddai'r carped neu gellid gorchuddio'r llawr gyda linoleum (leino) yn gyntaf cyn gosod y sgwâr o un o'r meintiau uchod.

Ar hyd un o'r welydd wedyn fe gaed rholiau o garped Axminster, rhai 27" modfedd o led neu ¾ *body* fel y'u gelwid. (Roedd 36" modfedd o led yn 4/4 *body*!) Y rhain fyddai pobl yn eu prynu i roi ar y grisiau, neu fel *runner* yn y cyntedd neu ar ben y grisiau.

Ond dechreuodd y ffasiwn i gael carped o wal i wal yn ogystal, ond gyda'r rholyn 27 modfedd byddai'n rhaid eu gwnïo at ei gilydd gan ofalu am y match patrwm – gallai fod yn wastraffus iawn, ond yr oedd y llwyth oedd yn mynd yn wythnosol i gwmni A. O. Services yng Nghaerdydd yn dystiolaeth o'r duedd newydd yma o wal i wal.

Yn raddol felly daeth y cwmnïau carped megis Axminster a Tomkinson a Brinton i sylweddoli bod angen cynhyrchu carped lletach a fyddai'n cyrraedd o wal i wal. Roedd hyn yn golygu addasu gwŷdd, oedd hyd yn hyn dim ond yn medru gwehyddu carped hyd at 9 troedfedd o led i un gallai wneud carped 12 troedfedd o led – sef gwŷdd lydan neu *broadloom*.

Er bod y cynnyrch hwn o ansawdd da ac yn hardd, gan

fod posib gwehyddu patrwm ynddo – roedd yn ddrud iawn.

Tua'r un pryd ag y cyrhaeddais i, fe gyrhaeddodd cwmni Kosset hefyd. Cwmni oedd newydd ddechrau cynhyrchu carped gyda rwber yn y cefn yn angori'r tyfftiau o ffibr viscos fel arfer. Nid oedd patrwm iddo ond fe'i caed mewn sawl lliw a hyd twfft – ac fe oedd yn rhad ac fe'i gwnaed mewn mwy nag un lled. Roedd posib mynd â llyfr samplau i dŷ cwsmer, mesur y stafell, cymryd yr archeb a'i ordro'n syth – ei gael o fewn yr wythnos a'i osod heb orfod selio'r ymylon gan nad oedd yn datod oherwydd y cefn rwber.

* * *

Gwell imi sôn yn y fan hon am amodau masnach cyffredinol.

Roedd cynnal busnes manwerthu, fel Dan Evans, yn mynd yn fwyfwy anodd. Daethai cwmnïau mawr rhyngwladol gyda'u grym hysbysebu anferth mewn papurau newydd a theledu. Gwelwyd dechrau datblygiadau all-drefol lle'r oedd tir yn rhad a'r posibilrwydd o greu mannau parcio am ddim i gannoedd o gerbydau yn hawdd.

Felly, mewn ffordd roedd y gystadleuaeth yn ymdebygu i Dafydd a Goliath. Roedd rhaid i Dafydd 'shifftio'i stwmps'.

Ymunodd y cwmni â chymdeithas o siopau annibynnol neu deuluol – ADS – neu *Association of Department Stores*. Pwrpas y gymdeithas, drwy danysgrifiad, oedd creu tîm o brynwyr profiadol iawn yn eu pencadlys gwreiddiol yn Edgware Road, Llundain, i fynd allan i'r farchnad fel petai a thrafod telerau prisiau ac amodau gan gomisiynu nwyddau i'w gwerthu dan label unigryw'r gymdeithas ar brydiau.

Byddent yn cynnal ffeiriau lle byddai cynrychiolwyr y busnesau unigol yn dod ynghyd i weld y dewis, a hefyd unrhyw delerau arbennig oedd wedi'u trefnu gan gyflenwyr.

Roedd tua chant o siopau bychain annibynnol, megis Dan Evans yn aelodau, a buan y gwelwyd nad oedd digon o nerth bôn braich ganddi. Felly cafwyd trafodaeth gyda chymdeithas arall gyffelyb, ISA – *Independent Stores Association* – oedd yn gwasanaethu siopau mwy, megis David Morgan yng Nghaerdydd gan gytuno uniad rhwng y ddau a ffurfio AIS, *Association of Independent Stores*. Erbyn 2000 roedd tua 250 o aelodau gan y gymdeithas.

* * *

Erbyn 1967 roeddwn wedi cael fy ngwahodd i agor siop deganau barhaol yn rhif 96, gyda chymorth Joyce Morgan. Nid mynd a dod dros y ffordd y tro hwn ond aros yno'n barhaol.

Ymateb oedd hyn i'r galw cynyddol drwy'r flwyddyn am deganau fel anrhegion pen-blwydd neu'r holl deganau oedd yn cael eu cynhyrchu oherwydd ffilmiau neu raglenni plant ar y teledu. Ganol y 60au, roedd Cymru, mae'n siŵr, yn cynhyrchu'r rhan fwyaf o deganau a werthwyd. Cysidrwch yr enwau: Triang (Merthyr), Pedigree (Merthyr), Mettoy (Abertawe), Corgi (Abertawe), Crescent (Cwmcarn), Wendy Boston (Y Fenni), Chad Valley, Dean's Childsplay, Lego (Wrecsam), T.P. (Caergybi), Louis Marx (Abertawe). Efallai fod mwy ond dyna'r rhai sy'n dod i'r cof.

Rwy'n cofio Stan Davies, cynrychiolydd Cwmni Louis Marx (LUMAR) yn dweud stori wrthyf am yr holl gynrychiolwyr yn cael eu galw i gyfarfod pwysig i drafod cynnyrch newydd. Gwnaethant oll ymgynnull yn y 'Boardroom' ac eistedd o amgylch y bwrdd, a dyma'r rheolwr yn taflu'r tegan yma i ganol y bwrdd i bawb gael ei weld. Dol ydoedd, dol o ddyn tua 10 modfedd o hyd gyda'i freichiau a'i goesau yn symudol ond roedd wedi ei wisgo mewn lifrau milwr.

Fe'i gwrthodwyd fel un farn gydag ebychiadau fel 'Dol i fechgyn – nefyr in Iwrop gwboi!' a sylwadau tebyg.

Ond yn ddiweddarach, fe dderbyniodd cwmni arall y syniad, cwmni o'r enw Bakelite Xylonite oedd yn arbenigo mewn brwshys plastig, ac ar ôl llwyddo gyda'r tegan, newidiwyd yr enw i Palitoy – ac enw'r dol – Action Man. Un o'r teganau bechgyn mwyaf llwyddiannus erioed. Roedd yn 50 oed llynedd (2013) ac mae'n dal i fynd yn gryf.

* * *

Yr adeg honno, roedd y siopau yn dal i fod ar gau ar bnawn dydd Mercher, dydd Sul (wrth gwrs) a chau am ginio rhwng 1 a 2.15 p.m. Golygai hyn y gellid mynd am dripiau staff o hyd, drwy gau drwy'r dydd ar un dydd Mercher yn yr haf.

Rwy'n cofio mynd ar yr un olaf ond un yn 1966 (1968 oedd y flwyddyn pryd penderfynwyd agor am chwe niwrnod yr wythnos ac agor drwy'r dydd). Dinbych-y-pysgod oedd y gyrchfan ac roedd dau lond bws yn anelu am y dref.

Cafwyd stop yng Nghaerfyrddin am ginio ac yno dewisais i adael y criw i fynd i helpu gydag ymgyrch etholiadol Gwynfor Evans. Ond nid cyn tynnu llun o rai o'm cydweithwyr o flaen y 'Bunch-of-rapes' – roedd y lamp mewn lle anffodus!

Yn y llun ceir, o'r chwith i'r dde: Awbery Beasley (y gyrrwr oedd yn cario'r plant i'r ysgol Gymraeg, a hefyd dilifro'r gwely toredig); Wally Webber o'r adran garpedi gyda'i gefn myglyd yn erbyn y gwresogydd; Hubert Watkins yn y cefn, gosodwr carpedi a mab-yng-nghyfraith i Jack Jones y saer; Frank Page yn y blaendir – dyma ddyn – fe wnelai unrhyw beth i unrhyw un, rheolwr y Warws; Billy Messenger, rheolwr yr adran baent a phapur wal; Goronwy Williams, saer a chrefftwr ac yn gosod rheiliau a llenni; a John Morris, gosodwr carpedi ac yn ddiweddarach gosodwr rheiliau a llenni.

Bunch of (G)rapes – Caerfyrddin 1966

Mae hanes dwfn y tu ôl i'r holl gymeriadau hyn. Afraid dweud nad oes gofod yma i'w adrodd – ond braint oedd eu hadnabod.

* * *

Yn y 60au roedd Coleg Athrawon y Barri yn dal yn ei anterth gyda llawer o'r darlithwyr a myfyrwyr a chysylltiad â'r gorllewin.

Ar sawl achlysur roedd unai aelodau yn y coleg neu eu perthnasau yn dod i'r siop i brynu rhywbeth, a gan ein bod yn hysbysebu cludiant cyflym a rhad i unrhyw le yn ne Cymru, roedd gofyn i rywun ymgymryd â'r dasg o gyflawni'r addewid, ac yn amlach na pheidio, fi oedd hwnnw.

Roeddwn yn arfer dychwelyd i Langadog yn rheolaidd ar y penwythnosau at fy rhieni, ac os oedd rhywbeth i'w gludo yn yr un cyfeiriad, yna buaswn yn newid fy nghar am fan i hwyluso hynny.

Fe welwyd fan Dan's yn aml ar hyd hewlydd bach y wlad

Fan Dan's – Mynydd Du

yn mynd i Aberystwyth neu Aberteifi, Llangadog wrth gwrs ond hefyd llefydd fel Abertawe neu Gaerfyrddin.

* * *

Yn 1968 cyhoeddodd Mrs Smith oedd yn rheoli'r adran lestri a gwydr ei bod yn bwriadu rhoi'r gorau iddi ac ymddeol. Fe'm gwahoddwyd eto i ymgymryd â'r swydd yn ogystal â bod yn gyfrifol am yr adran deganau, a hefyd yr adran feithrin erbyn hynny gan fod Betty Eden a fu'n rhedeg yr adran honno wedi ymddeol hefyd.

Stori fach fer am Miss Eden. Roedd ganddi gi bach yn gwmni iddi yn ei thŷ yn y Parade ger Cold Knap, a mynnai fod y ci yn deall popeth a ddywedai. Fe'i daliais un tro ar y ffôn gyda'i bwtshwr yn gofyn iddo: 'And could you add to that a B-O-N-E' fel nad oedd y ci yn deall beth a ddywedai!

Nôl i'r adran lestri – roedd fy ewythr Alcwyn wedi bod i Bournemouth ar ei wyliau gyda'r teulu, ac yn ôl ei arfer, wedi bod i'r siop fawr leol, yn yr achos hwn, Beale's of Bournemouth oedd hefyd yn aelodau o ADS, ac wedi gweld dull hyfryd o arddangos crochenwaith a gwydr.

Awgrymodd y buasai'n dda imi fynd lawr i'w weld, ac felly y bu – fe es i ac Ernie Britten, y saer, lawr i Bournemouth, a gyda chaniatâd y rheolwyr, gwneud archwiliad o'r system (oedd yn defnyddio bracedi SPUR) a dychwelyd i archwilio a fuasai'r syniad yn gweddu i'n hadran ni. Ac felly, gyda bendith Alcwyn, aed ati i adeiladu tair llond wal o'r silffoedd a welir tu ôl i'r merched yn y llun isod.

Rhaid dweud mai'r adran hon oedd yr orau gennyf, nid oedd yno'r pwysau i gael y dewis gorau fel yn yr adran deganau er fy mod yn dal i brynu ar gyfer hwnnw. Peth braf arall ynglŷn â'r adran oedd prynu casgenni o 'seconds' ar

Ruth Perrett ac Edna Sims – Adran Lestri a Gwydr

*Wedi agor casgen gyda Frank Page
a John Morris*

gyfer y sêls. Roeddent yn cael eu dilifro mewn casgenni enfawr yn llawn gwellt i'w diogelu. Roedd agor un o'r casgenni yma fel agor ogof Aladdin weithiau; *turines* neu jwgiau hardd – platiau a chwpanau a soseri cywrain a dim ond y nam bach lleiaf ynddynt yn y patrwm fel arfer – ac fe'i gwerthwyd inni fesul casgen nid fesul eitem – bargeinion yn wir.

Soniaf ddim am yr Arwisgo yn 1969, dim ond dweud fod yr holl nwyddau cofio wedi eu prynu a'u dilifro cyn fy mod i wedi dod i'r adran, ond roeddent hefyd wedi gwerthu yn hynod dda – dyna ni.

Y 70au a'r 80au

Roedd yr adeg hon yn un rhyfedd i'r fusnes. Rhyw fater o gadw i fyny hefo'r oes oedd hi. Roedd Derek Clark wedi ymuno â'r criw ar ochr cynnal a chadw teledu a radio, gan fod teledu lliw wedi dod yn awr a theledu 625 llinell oedd yn golygu arbenigedd gwahanol eto. Bu ef hefyd yn gyfrifol am ddod â systemau cyfrifiadurol i'r fusnes.

Yn 1971 daeth y system ddegol i mewn i'n harian a gwnaed fi'n gyfrifol am gynnal cyrsiau dysgu'r staff sut oedd dygymod â'r ffenomenon dieithr hwn. Credai'r rhan fwyaf o bobl y golygai wneud popeth yn tipyn drytach – felly, rhaid oedd darbwyllo pobl nad nid felly yr oedd hi fod yn Dan Evans, beth bynnag.

Mae deugain a mwy o flynyddoedd wedi mynd heibio ers y datblygiad hwn, felly mae'n werth atgoffa'n hunain o beth a gollwyd wrth golli L.S.D. – *Pounds, Shillings and Pence*.

Roedd y system *LSD* mor gymhleth fel fy mod yn sicr fy meddwl mai dyma pam, cyn 1972 roedd pobl – y werin datws – yn well o lawer yn eu mathemateg pen, dawn sydd ond yn goroesi nawr gyda thaflwyr dartiau a gamblwyr!

Nid fy mod yn argymell dod â'r hen *LSD* yn ôl o gwbl, ond yn fras, dyma fel y gweithiai. Yn gyntaf beth yw ystyr *LSD*? Lladin yw'r geiriau a gynrychiolir gan y llythrennau hyn:

L – *Librae*, punt, *pound* yn Saesneg, hefyd wedi ei dalfyrru i lb sef, pwys neu pound weight yn Saesneg.
S – *Solidi*
D – *Denari*

Yn Rhufain dros 2,000 o flynyddoedd yn ôl y tarddodd y system hon ac fe barhaodd ym Mhrydain tan 1971, ac yn fras dyma fel y gweithiai:

Ffyrling – ¼ ceiniog

Dimai – ½ ceiniog

Ceiniog

Pishyn tair – 3 ceiniog neu ¼ swllt

Pishyn chwech – 6 cheiniog neu ½ swllt

Swllt – felly 12 ceiniog

Fflorin – dau swllt neu 24 ceiniog

Hanner coron – deuswllt a chwe cheiniog neu 30 ceiniog neu 8fed rhan o bunt.

Papur chweugain – deg swllt neu hanner punt, daw chweugain o chwe-ugain neu 120 ceiniog.

Punt – 240 ceiniog neu 20 swllt, ond yr un gwerth â'r bunt newydd.

Ond, fe ellid cael gini, sef un bunt ac un swllt neu £1-1-0.

Mae'r gini wedi goroesi wrth gynnig gwobrau rasys ceffylau neu hyd yn oed wrth brynu a gwerthu ceffylau rasio.

Ffaith ddiddorol – os oedd gennych werth un bunt (£1) o'r hen geiniogau yn eich poced (240d) mi fuasai'n pwyso yr un faint â dau becyn o siwgwr, sef 4lb (pwys), 1.8kg.

A dyna ddigon am hynny!

* * *

Nodyn wrth fynd heibio – yn 1970 fe wnes i a Rhoswen briodi!

Ac yn 1972 bu farw Dan Evans ei hun yn 89 oed, 67 mlynedd wedi sefydlu busnes a fu'n gonglfaen i dre'r Barri ac yn wir, yn adnabyddus drwy amryw o wledydd y byd oherwydd y dociau a'i bersonoliaeth ef ei hun.

Roedd yn ddyn hael ei gymwynasau ac yn esiampl i unrhyw un a fynnai wneud llwyddiant o'r hyn a ddewisodd fel gyrfa. Cafodd fywyd hir a hapus gyda theulu da o'i gwmpas, ac roedd yn fodlon ei fyd wrth fynedfa'r siop yn cyfarch pobl tan tua pum mlynedd cyn ei farw.

* * *

Er fy mod, yn y 70au cynnar, yn dal i redeg yr adran deganau, adran meithrin ac adran dillad plant heb anghofio llestri a gwydr, fe awgrymwyd y gellid defnyddio gofod sbâr yn yr islawr drws nesaf i'r adran lestri i ddechrau adran nwyddau teithio, fel cesys ac ati.

Agorwyd cyfrifon gyda chwmnïau fel Antler a Visa ac ar y cychwyn roedd yn eitha' llwyddiant ac fe'i ehangwyd i werthu offer gwersylla, megis pebyll a goleuadau ac offer coginio nwy Camping Gaz a hefyd sachau cysgu.

Roeddwn yn gwneud tipyn o wersylla fy hun ar y pryd, gan fwyaf yn ne Llydaw, felly roedd profiad gennyf o'r math o bethau oedd eu hangen. Dim ond yn dymhorol roedd y galw am y fath nwyddau, er bod galw mawr wedi bod am y goleuadau Camping Gaz yn ystod yr wythnosau 3 niwrnod a ddigwyddodd ddechrau 1974. Roedd streiciau'r glowyr a gweithwyr gorsafoedd pŵer wedi golygu fod llywodraeth Edward Heath wedi galw 'Stad o Argyfwng' a gorfodi cyflenwad trydan i fusnesau am dri niwrnod yr wythnos yn unig. Felly roedd Bill Harper a Derek Clark wedi mynd ati i grogi gwifrau trydan drwyddi draw yn y siopau gyda lampau o bob math arnynt a'u cysylltu â generaduron petrol oedd y tu allan i roi rhyw fath o olau i'r adrannau, ac yn y corneli tywyll, defnyddiwyd y lampau 'Camping Gaz'.

Erbyn 1975 gwnaed penderfyniad i wahodd Eisteddfod yr Urdd i'r Barri i 1977 a dyma ni eto yn cynnal gweithgareddau i ddenu sylw a chodi arian at yr Ŵyl Ieuenctid fwyaf yn Ewrop. Cyfrannwyd gwobrau a chynhaliwyd gweithgareddau a chystadlaethau i godi ymwybyddiaeth ac arian ar gyfer yr Ŵyl.

Darth Vader (Star Wars) gyda rhai o'r staff a Prys fy mab bychan

Bobba Fett – Emrys Lewis

Roeddwn i yn gyrru un o faniau Dan Evans yn yr orymdaith gyhoeddi – prin oeddwn yn gallu gweld lle'r oeddwn yn mynd gyda'r holl faneri yn cyhwfan o'm hamgylch, dros y fan, ac ar y stryd.

Wrth gwrs, drwy gefnogi'r Urdd yn y modd hwn, roeddem hefyd yn hyrwyddo'r gwasanaethau oedd yn cael eu cynnig yn ein siopau.

Ond roedd ffyrdd eraill hefyd. Yn yr adran deganau yr oeddwn yn ei rheoli, roedd gennym yr etholfraint (*franchise*) drwy gwmni Palitoy i werthu'r teganau oedd wedi eu cynhyrchu i fynd gyda'r ffilm *Star Wars* a ymddangosodd yn 1979. Roedd y rhain yn dod fel copïau bychain o'r cymeriadau yn y ffilmiau megis, Luke Skywalker, Han Solo, Obi Wan Kenobi, Darth Vader ac yn y blaen ac yn y blaen. Hefyd, gellid prynu'r llongau gofod a'r cerbydau eraill y gyrrwyd gan y cymeriadau hyn fel y Millenium Falcon, neu X-fighter Luke Skywalker, roedd y dewis yn ddiddiwedd.

Gan fod ein cyfrif ni mor gryf gyda Palitoy, llwyddwyd i gael ymweliadau gan rai o'r cymeriadau megis Darth Vader a Bobba Fett (allan o *The Empire Strikes Back*).

Yn y llun o Bobba Fett gwelir rheolwr cyffredinol y siopau ar ochr dde'r stryd yn gofalu am fy mab Prys, ond o edrych yn graffach ar yr hysbysebion ar y ffenest gellir gweld ein bod hefyd yn ddwfn yn y byd sglefyrddio, gan werthu'r holl ddarnau fel y gallech adeiladu un eich hun.

Cafwyd cystadlaethau adeiladu Lego, gyda gwobrwyon hael o setiau Lego. Bu mwy o ymweliadau gan

Care Bears

Teganau Lego gan gwsmeriaid bodlon!

Superted

gymeriadau eraill o'r byd teganau fel Cabbage Patch Dolls anferth, Care Bears ac wrth gwrs erbyn 1982 – Superted.

Yn cydredeg â hyn, fe osodwyd y cyfrifiadur cyntaf yn y swyddfa i hwyluso cadw cyfrifon y cwsmeriaid a'r cyflenwyr ac fe allai'n otomatig gynhyrchu biliau i'w danfon yn fisol i'r rhai oedd wedi agor cyfrif gennym.

Roedd y profiad o ddatblygu'r gallu i ddefnyddio'r dechnoleg hon yn ein galluogi hefyd i agor adran gwerthu cyfrifiaduron i'r cyhoedd – rhai fel y Commodore 64 ac un y BBC. Roedd hyn yn arwydd hefyd o ddatblygiad gemau cyfrifiadurol llaw, megis Simon, Pacman ac yn y blaen.

* * *

Yn 1972 fe ymunodd fy nghefnder Geraint â'r cwmni, sef mab Alcwyn ac ŵyr arall i Dan. Daeth atom wedi cael profiad helaeth yn un o'r siopau eraill oedd yn aelod o AIS, sef Woodward's of Leamington Spa ar ôl gadael y coleg yn Aberystwyth.

Fel ei dad ynghynt, daeth gyda syniadau pendant, a gan mai'r gyfraith oedd ei faes yn y coleg, roedd ganddo'r gallu i ymgymryd ag ochr gyfreithiol y cwmni. Byddai'n ymddangos yn y llys byth a hefyd wrth erlyn talwyr gwael. Yn yr un cyfnod roedd yn archwilio'r posibilrwydd o geisio dod â'r holl adrannau o dan un to.

Fel y cofir, roedd y fusnes wedi tyfu'n raddol drwy'r tri chwarter canrif ac erbyn 1979 roedd yn bodoli mewn 14 o wahanol 'unedau' ond bod sawl un o'r rhain wedi cael eu cysylltu gyda choridorau a bwâu. O'r diwedd, yn 1981, llwyddwyd i brynu 85a ac 85b – y ddwy siop oedd rhwng y siop wreiddiol a'r un ar y gornel, y rhai oedd flynyddoedd ynghynt yn gartref i Boots a Liptons.

Felly erbyn hynny roedd 'na res o chwech o unedau bron i 200 troedfedd o hyd gennym yn wynebu Holton Road. Symudodd J. A. Hughes y cyfreithwyr allan o ail lawr y gornel, felly yr oedd rhwydd hynt i ddatblygu'r seit hyd at y lôn yn y cefn.

Ond cyn gwneud hyn fe geisiwyd ymgorffori'r holl adrannau oedd o amgylch y sgwâr i'r adeiladau eraill, ac i hwyluso hyn prynwyd yr hen Alexandra Hotel (erbyn hyn yr

Cefn y siop tua 1986, 81-85

Datblygiad y Sgwâr

Y Sgwâr

Cefn y siop tua 1986, 81-85

Staff y Swyddfa Deithio

YMCA) i drefnu mynd a dod y stoc fel bod mwy o le yn y siopau eu hunain.

Fe ddymchwelwyd ein holl siopau o amgylch y sgwâr – rhif 99-101 o'r adran baent a'r hen gaban Nissan, a'r ffenest arddangos, ac yn eu lle – fel madarch – fe dyfodd adeilad newydd.

Cafodd y cyfreithwyr, J. A. Hughes, gartref yno gyda sawl cwmni manwerthu arall yn rhentu unedau, gan gynnwys Dan Evans ei hun ac agorodd swyddfa deithio yno dan reolaeth arbenigol Lynwen Perry.

Erbyn hyn, roedd cefn y prif siopau yn dechrau edrych yn wahanol gyda'r gofod a fu, yn cael ei lanw gan sgerbwd mawr dur, ac o dipyn i beth, gydag amodau masnachu yn warthus, fel y disgwyliwyd, fe siapiodd pethau.

Yn 1987, deuthum i nôl o fy ngwyliau i glywed fod rheolwr yr adran lenni a llieiniau wedi gadael yn sydyn, a gofynnwyd os y gwnelwn ymgymryd â'r swydd.

Dim ond tua chwe blynedd cyn hynny y dechreuodd y prynwr blaenorol gyda ni, ar ôl i'r chwedlonol Cyril

Adran Bersawr

Adran Deganau

Y Bwyty

Brockway ymddeol. Er ei fod yn ddyn blin weithiau, roedd yn brynwr da ac roedd ganddo berthynas wych gyda llawer o'r cwmnïau gorau, megis Sanderson, Liberty, Blendworth a Whiteheads ac ati. Roedd yn gallu troi rhai o'r reps o amgylch ei fys bach i gael bargeinion a sefydlodd fasnach wych mewn *seconds* gan gael y dewis cyntaf yn aml.

Ond fe allai fod yn flin – nid dim ond gyda'i staff ond hefyd gyda reps a alwai heb apwyntiad: 'Gwedwch wrthyn mod i ddim yma' oedd ei ateb i lawer ohonynt. Buasai Emrys Lewis yn dweud wrthyf rhai boreuau felly, 'Ma' crôn i dîn e am i dalcen e to, bore 'ma!'

Ond serch hynny, byddai'n ennill contractau mawr, ac roedd y gallu ganddo, o fewn y cwmni, i alw ar grefftwyr o adrannau eraill i'w helpu pan ddôi'n fater o osod y llenni neu'r bleinds mewn ysbytai, ysgolion, cartrefi hen bobl ac yn y blaen.

Rwy'n cofio fy hunan yn helpu mewn ysbyty newydd o'r enw Glangwili, lle'r oeddwn yno am tua phythefnos, yna mynd i ysgol Rhydfelen yn ogystal â'r coleg technegol drws

Adran Drydanol – Jenny Bullock

Ymddeol Cyril Brockway
Chwith i'r dde: Parry Edwards, Cyfarwyddwr; Doris Jones, Ysgrifenyddes
y Cwmni; Cyril Brockway; Alcwyn Evans, Cadeirydd;
Geraint Evans, Cyfarwyddwr

Marie Claire a Marion

nesaf. Yna daeth Glan-taf, Ysgol Maes Dyfan yn y Barri ac Ysgol Newydd y Merched, Brynhafren.

Ond erbyn i fi gymryd cyfrifoldeb am yr adran yn 1987 ac yn fuan wedyn, daeth amodau'r ailadeiladu â phroblemau di-ri inni.

Dim ond llenni polythene oedd rhwng cefn yr adran a'r elfennau, ac roedd llwch adeiladu ymhob man, ond fe oroeswyd diolch i'n staff gwych ar y pryd, yn eu plith, Marion Dellimore a welir yma ar y dde gyda Marie-Claire a ddaeth ar brofiad gwaith atom o Ffrainc.

Roedd Marion yno pan ymunais â'r adran yn 1987 ac roedd yno yn y diwedd yn 2006 pan gaeodd y siop ei drysau am y tro olaf.

* * *

Ond dechreuodd pethau syrthio i'w lle un noson pan gyrhaeddodd yr esgynyddion.

Esgynnydd

Annie Davies a Phil Shord – yr adran llieiniau newydd

Roedd y fframwaith ar eu cyfer wedi'i osod yn barod, ond roedd rhaid cymryd wal waelod un uned gyfan i'w llusgo i mewn.

Gwnaed hyn gyda'r nos fel nad oedd gormod o darfu ar werthiant y siop, ac fe fues i yn eistedd drwy'r nos yn y ffenest honno heb wydr i ofalu na fyddai neb yn mynd mewn i'r siop!

Yn ogystal â'r ddau esgynnydd oedd yn dringo o'r llawr gwaelod i'r llawr cyntaf, ac yna o'r cyntaf i'r ail, fe osodwyd dau lifft newydd – un bychan ar gyfer pobl, ac un arall tipyn mwy a allai ymdopi â chelfi ac offer trwm – roedd hwn yn gwasanaethu pum llawr gan fynd i fyny i'r swyddfeydd cyffredinol ar ben yr adeilad.

Erbyn 1989 roedd y cwbwl yn ei le, ac fel y gwelir o'r arwydd a roid wrth bob lifft ac esgynnydd a hefyd wrth y drysau. Roedd lle i bopeth a phopeth yn ei le.

Dengys y garden isod yr ymddangosiad olaf o flaen y siop, oedd yn awr yn unedig gyda phob adran a swyddfeydd o dan yr un to.

Yn 1999 adeiladwyd warws pwrpasol ar gyrion y dref gyda gweithdai a swyddfeydd.

Blaen y siop ar ei newydd wedd 1988

Arwydd yn y siop

Warws 1999

Troeon Trwstan

Gyda busnes fel un Dan Evans wedi bodoli am dros gan mlynedd (1905-2006) mae'n rhaid nad oedd popeth wedi mynd fel y dylsent. Soniwyd yn barod am adegau rhyfel a dirwasgiad, oedd yn ddigwyddiadau mawr a difrifol.

Ond fe fu digwyddiadau eraill nad oeddent mor fawr, ond i'r siop yn hynod ddifrifol. Cafwyd sawl llif, lle nad oedd y draeniau yn gallu ymdopi â'r pwysau dŵr. Roedd Siop John Jones ar lethr o'r blaen i'r cefn a phan fyddai'r cloriau draen, haearn taro yn hedfan i'r awyr a'r dŵr yn gorlifo, byddai'n mynd i mewn i'r siop trwy'r drws ffrynt, lawr y grisiau i'r islawr ac allan drwy'r drws cefn. Y cynllun wedyn fyddai helpu'r dŵr ar ei ffordd cyn ei fod yn treiddio trwy'r lloriau ac i'r islawr.

Ond weithiau digwyddai'r llifogydd yng nghanol nos. Rwy'n cofio cael galwad gan yr heddlu unwaith gan ddweud

Llif

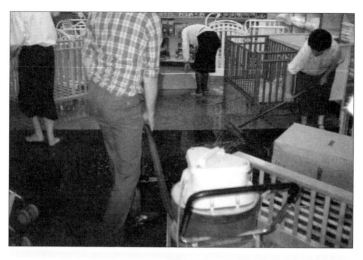

Clirio

fod y dŵr tua troedfedd i fyny ar ddrysau ffrynt y siop, a phan gyrhaeddais ar ôl gwisgo, ffeindio bod George Cooper (oedd wedi ymddeol) a'i fab, Clive, oedd yn swyddog yn yr RAF wedi dod yn barod gyda brwshys i helpu.

Yna bu tanau – un tro yn y saithdegau gwaeddodd rhywun fod mwg trwchus yn dod allan o dŷ bach y dynion tu fas i'r Lolfa Goffi. Rhuthrais i fyny'r grisiau gan afael mewn diffoddydd ar y ffordd ac agor drws y tŷ bach, a daeth cwsmer y tu ôl imi gyda diffoddydd arall, a chwistrellu dŵr dros y wal lle'r ymddangosai y fflamau. Nid oedd yn dân mawr, ac roedd wedi ei ddiffodd cyn bod y Frigâd Dân wedi cyrraedd.

Ond ar ôl gwneud archwiliad cyflym cefais stŵr gan y Prif Ddiffoddwr gan mai nam trydanol oedd wedi achosi'r tân, a gallen fod wedi cael ein lladd gan sioc drydan gan mai chwistrell ddŵr oedd ganddom – ond roedd y cwsmer wedi hen ddiflannu heb inni gael cyfle i ddiolch iddo.

Dro arall cafwyd tân eto, ond yn islawr siop John Jones.

Tân bwriadol oedd hwn – roedd rhywun wedi tanio'r bin sbwriel ar bwys y drws cefn. Fe wagiwyd yr adeilad eto, ac wrth aros am y Frigâd i ddod, teimlem y dylsid diffodd y trydan i'r adeilad – ond roedd y bocsys trydan i gyd yng nghefn yr adeilad, a ninnau y tu allan.

Tynnodd Dennis Kellaway ei hances a'i roi dros ei wyneb, ac o'i weld yn mynd fe euthum innau hefyd gydag ef gan fy mod yn gwybod yn union lle'r oedd y bocsys. Roedd y mwg erbyn hyn yn drwchus a dim ond drwy deimlo'n ffordd y llwyddwyd i gyrraedd y cysylltwr.

Ond y tân gwaethaf oedd yn yr adran deganau yn 1984.

Roeddwn adref ar fy niwrnod rhydd, yn dod dros y ffaith fod rhywun wedi ceisio cynnau tân yn yr adran deganau, oedd bryd hynny yn yr islawr 85c.

Ymgais rhywun i greu drygioni oedd gwreiddyn y drwg drwy agor bocs o fatsys a'u harllwys mewn i fasged Moses ar gyfer doliau, cynnau un fatsen a'i gollwng ar ben y lleill. Fe'u taniwyd i gyd a rhedodd y dihiryn ifanc allan o'r siop.

Fe euthum draw i weld beth oedd yn dianc rhagddo a gweld y fflamau bychain yn y fasged a thipyn bach o fwg. Buan y'i diffoddwyd.

OND y diwrnod canlynol, a finnau ar fy niwrnod rhydd daeth galwad ffôn i'r tŷ gan ein gweinidog, y Parchedig Gareth Watts.

'Hei Alc, fi newydd glywed ar Radio Cymru fod Dan Evans ar dân!'

'Na, popeth yn iawn Gareth – maen nhw'n siŵr o fod yn adrodd am y tân geson ni ddoe.'

'Na – na, Alc, ma' nhw'n dweud bod sawl injan dân yn ymladd y fflame 'na nawr!'

Felly rhuthrais draw i ganol y dref a rhedeg i lawr Stryd Newlands i weld. Roedd y staff allan yn y stryd a'r peiriannau tân wrthi yn diffodd y fflamau.

Deallais wedyn fod y tân wedi'i gynnau yn yr union un lle

ac, yn ôl y diffoddwyr yn yr union run modd, a bod sawl un o'r staff yn dal yn yr islawr pan ddigwyddodd 'Flashover' lle mae'r nwyon o'r llosgi yn ymgasglu yn y nenfwd ac ar adeg wedyn yn tanio – ond llwyddodd pawb i ddianc yn ddi-anaf – mae'r llun yn dangos maint y difrod a hefyd dechrau ar y gwaith o'i adfer.

Cymerodd sawl mis i ddod â'r adeilad yn ôl i ddefnydd effeithiol.

Bu llawer o enghreifftiau eraill o orfod cau rhannau o'r fusnes oherwydd rhesymau allanol.

Tân difrifol yn yr adran deganau

Adfer yr adeilad ar ôl tân

Dymchweliad y Calan

Cwympodd rhan o'r adeilad drws nesaf, ar Ddydd Calan, yn ffodus pan nad oedd llawer o bobl o amgylch.

Ac yna mewn ymateb i'r holl broblemau gwaredu dŵr adeg glaw trwm, fe gaewyd Holton Road yn gyfan am rai misoedd er mwyn gosod draeniau mwy o dan y stryd. Drwy'r holl adeg hwn, rhaid oedd i'r cwsmeriaid ddefnyddio'r mynediad wrth ochr yr adeilad yn Stryd Newlands.

O tua 1979 ymlaen fe'm penodwyd hefyd i fod yn 'Geidwad yr agoriadau' h.y. os elai'r larymau yn un o'r unedau,

Stryd Newlands ar gau

fi oedd yr un i fynd i'w ddiffodd, neu aros am yr heddlu, neu beiriannydd neu beth bynnag.

Bûm allan ganol nos ar nosweithiau oerllyd gyda pheirianwyr larwm tân yn gynnar yn y bore weithiau. Yn ôl y record a gedwais dros chwarter canrif – ces fy ngalw allan ar ôl oriau agor yn agos at 850 o weithiau.

Ond bach iawn oedd cyfartaledd y troeon trwstan hyn i gymharu gyda'r llawenydd llon!

Cymuned Dan Evans

Drwy'r blynyddoedd, o'r dechrau cyntaf, mantra Dan Evans oedd gwasanaeth. Fel yr esboniwyd, fe wnaed hyn drwy gysylltiad personol ac ymroddiad i wasanaeth.

O atgoffa pobl yn y dechrau fod ganddo fusnes a allai fod yn ddeniadol iddynt, drwy'r degawdau o gyfrannu i'r gymdeithas a'r dref a'r cylch, llwyddodd ein busnes i ddenu cwsmeriaid.

Yn graidd i hyn i gyd oedd recriwtio pobl wybodus, ymroddgar a ffyddlon i'n staff – pobl, yn y bôn, oedd yn barod a bodlon i ymgysegru eu gyrfaoedd i'r cwmni, ac mae'r rhestr yn faith.

Gyda ffurfio'r tîm yma o bobl fe ddarganfyddwyd nad oedd rhaid cael cyfarwyddyd 'oddi uchod' i gael dathliad hyn neu arall. Byddai'r syniadau'n dod, ac fel arfer fe weithredid arnynt.

Achlysuron fel dathlu degmlwyddiannau'r fusnes. Yr un cyntaf y bûm i ynddo oedd yn 1975 (70 oed) gyda'r Diliau yn perfformio yno yng Nghastell Sant Dunwyd.

Yna yn 1985 cafwyd cinio ac adloniant yn y Neuadd Goffa gyda 'Rofi' y consuriwr yn brif adloniant.

Yn 1995 cymerwyd Plasdy Dyffryn am y nos gyda Frank Hennessy yn goleuo'r lle.

Ar achlysuron eraill caed sbloet, dweder os oedd rhywun yn ymddeol fel Eddie Hughes yn y fan hon ar ôl 30 o flynyddoedd fel rheolwr yr adran drydan.

Ac eto, dathlu gwasanaeth Maxine Eynon a ymunodd fel prentis gwniadwraig yn 16 oed, ac yn dal gyda ni 40 mlynedd yn ddiweddarach.

Dathlwyd Nadolig a'r gwyliau eraill drwy annog pobl i fod yn lliwgar neu doniol.

Daeth sawl gwobr i ran y cwmni megis cyntaf yn y *'Welsh*

Rofi y Consuriwr
Chwith i'r dde: Parry Edwards, Rhoswen Deiniol, Alcwyn, Rofi
(Consuriwr) – Neuadd Goffa'r Barri, 1985 – Pen-blwydd y Busnes yn 80

Frank Hennessy
Chwith i'r dde: Rhoswen Deiniol (fy ngwraig), Alcwyn, Frank Hennessy,
Carys Hall Evans (gwraig Geraint), Geraint Evans – Dyffryn 1995

Eddie Hughes
Alcwyn Evans yn llongyfarch Eddie Hughes ar ei ymddeoliad
gyda Geraint tu ôl

Maxine Eynon – 40 mlynedd o
wasanaeth fel gwniadwraig –
Geraint yn cyflwyno.
Llun o Dan Evans fel Dirprwy
Faer y Barri tu ôl (1939)

Office Disability Access Award Scheme' oherwydd yr holl gyfleusterau oedd wedi eu cynllunio i hwyluso profiad pobl anabl yn y siop.

Yn 1999 daeth coron ar y gwobrau – sef statws 'Buddsoddwyr mewn Pobl' ac fe gafwyd noson i'w chofio yng Ngwesty'r 'Celtic Manor' i ddathlu – gyda neb llai na Warren Mitchell yn bresennol i'n diddori, ac fel y gwelir, roedd Meryl Dodds, Ann Hobbs, Marion Delimore a Cheryl Pruett wrth eu boddau yn ei gwmni.

Wrth gwrs yr oedd pob aelod staff yng nghymuned Dan Evans

Laurel & Hardy – Dianne Thomas a Sarah Bryan

www (Jenny Walsh) Wicked Witch of the West gyda Marion Hilton

Buddsoddwyr mewn pobl

yn dychwelyd i'w cartrefi gyda'r nos i gymunedau eraill, a diddordebau eraill.

Roedd llawer un o'r cwmni yn aelodau mewn elusennau, neu'n cyfrannu i gymdeithas elusennol. Drwy hyn byddai'r cwmni hefyd yn cyfrannu drwy gynnal gwahanol ddigwyddiadau i gefnogi a chodi arian.

Felly roedd cwmni oedd bron cyn hyned â'r dref ei hun wedi gwreiddio'n llwyr drwy'r trwch.

Prifathro ysgol arbennig Maes Dyfan – Mike Wrighton yn derbyn siec gan Jenny Walsh ar ran Dan Evans

Epilog

Yn y flwyddyn 2005 fe ddathlwyd can mlwyddiant y siop. Erbyn hyn roeddem yn cyflogi tua 180 o bobl yn llawn ac yn rhan amser.

Roedd y siop wedi dal at gred Dan Evans ei hun i gynnig nwyddau o'r ansawdd gorau am bris teg gyda chyngor arbenigol ac ôl-ofal heb ei ail.

Ond roedd amodau cynnal y math hwn o fusnes yn mynd yn fwyfwy anodd gyda thwf y parciau manwerthu enfawr oedd yn dod yn fwy cyffredin yn ddyddiol – a hefyd siopa didrafferth y we.

Roedd cyfyngiadau parcio o amgylch canol y dref yn ei gwneud yn anodd a hefyd gan fod yr adeiladau craidd dros gan mlwydd oed, roedd cynnal a chadw yn mynd yn fwrn.

Teisen y Canmlwyddiant

Rhai o'r staff yn 2005

Aduniad 2007

Felly, pan gafodd Geraint, oedd yn rheolwr/ gyfarwyddwr y cwmni erbyn hyn, gynnig da am y seit (nid y fusnes) roedd yn anodd gwrthod, ac felly y bu.

Fe alwyd cyfarfod o'r holl staff i wneud y cyhoeddiad. Ac wedi i Geraint annerch y criw, bu eiliadau o dawelwch ac yna yn ddisymwth cododd pawb ar eu traed a chlapio! Fel petai perfformiad a barodd gan mlynedd yn dod i ben a hwnnw'n berfformiad gwych.

A rhaid dweud fy mod yn dal i weld cydweithwyr imi ar hyd a lled y Barri mewn siopau eraill unai'n rhedeg y siopau hynny, neu mewn safleoedd eithaf uchel ynddynt. Tyst i'r profiad da a gawsant yn Dan Evans.

Felly, ar ôl anferth o sêl, a hysbysebwyd yn eang ac effeithiol, a lle cliriwyd yr holl stoc a'r celfi siop, fe gaewyd drysau Dan Evans am y tro olaf yn Chwefror 2006.

* * *

Mae pobl yn dal i ysgrifennu yn y wasg leol gymaint y maent yn colli'r lle a hefyd hyd yn oed yn cyfansoddi cerddi yn hiraethu am siop Dan Evans, neu Dan's, neu Danny's.

Dyma gerdd Euryn Ogwen yn cofio amdanom, a diolch i bawb a fu'n gymaint cefn inni drwy'r blynyddoedd.

Siop Dan Evans

Awn mewn ffydd bob dydd sy'n dod,
Nac ofnwn ddiwedd cyfnod.

Ym mhob tref
Mae 'na fan i fynd lle gellir
Ymestyn llaw
A theimlo curiad y galon.
Yn y Barri, Siop Dan oedd y fan i fod.

Mwy na siop, mae'i hanes hi
Yn euraid yn nhre'r Barri;
Canrif gyfan bu'n y canol,
Er newid rhawd, yn ddi-droi 'nôl.

Ym mhob tref hefyd
Mae un man lle mae dyn
yn gallu teimlo'n gartrefol, -
perthyn ym mwrlwm byw.
Dyna afael Siop Dan Evans.

Gwn fod Sion Corn ei hun
Yn is-gontractio gofal ei deganau
Yno; a'n bod, wrth yfed paned
A throi'r llwy de neu dynnu llaeth o'r ffrij
Yn teimlo adlais trefn a pharch
Y gwasanaeth yn y siop.

Ac anrheg canrif i ni, ddinasyddion y dref,
Oedd dod i nabod
Ein gilydd a'n hunain
Wrth grwydro o adran i adran
A loetran wrth y cownter
Yn agosatrwydd Siop Dan Evans.

Nac ofnwn ddiwedd cyfnod,
Awn mewn ffydd bob dydd sy'n dod.

Euryn / Ionawr 2006

Carden Alcwyn

Danfon nwyddau ym Mryniau Meirionnydd

Syniad Da
Y bobl, y busnes – a byw breuddwyd

Glywsoch chi'r chwedl honno nad yw Cymry
Cymraeg yn bobl busnes?
Dyma gyfres sy'n rhoi ochr arall y geiniog.

**Straeon ein pobl fusnes:
yr ofnau a'r problemau wrth fentro;
hanes y twf a gwersi ysgol brofiad.**

Llaeth y Llan:
sefydlu busnes cynhyrchu
iogwrt ar fuarth fferm
uwch Dyffryn Clwyd yn
ystod dirwasgiad yr 1980au

Gwasg Carreg Gwalch:
gadael coleg a sefydlu
gwasg gyda
chefnogaeth ardalwyr
Dyffryn Conwy

*HANFODOL I BOBL IFANC AR GYRSIAU BUSNES
A BAGLORIAETH GYMREIG!
£5 yr un; www.carreg-gwalch.com*

Y Llinyn Aur

Rhiannon Evans, Gof Aur Tregaron

"Nid bywyd yw Bioleg:
Mi af yn ol i'r wlad"

Rhiannon:
troi crefft yn fusnes yng
nghefn gwlad Ceredigion

Canfas,
Cof a Drws Coch

ANTHONY EVANS
Arlunydd

"Mae arlunwyr yn gweithio
o'r tywyllwch i'r goleuni ..."

Artist Annibynnol:
Anthony Evans yn adrodd
hanes ei yrfa fel arlunydd, yn
cynnwys sefydlu oriel a stiwdio
gydweithredol

Perffaith
Chwarae Teg

Cefin a Rhian Roberts
Ysgol Glanaethwy 1990–2011

"Ti 'di dechra rwbath rŵan, yn do?
Fedri di'm 'i gadael hi'n fan'na, wyddost ti ..."

Ysgol Glanaethwy:
datblygu dawn yn broffesiynol
a llwyddo ar lwyfan byd

Cadw'r Byd
i Droi

CLEDWYN EVANS
Teiers Cambrian 1971–2011

"Os nad yw'r teier o'ch dewis gyda ni,
yna nid yw'n bodoli ..."

Teiers Cambrian:
cwmni o Aberystwyth sydd
wedi tyfu i fod yn asiantaeth
deiers mwyaf gwledydd
Prydain

Syniad Da
Y bobl, y busnes – a byw breuddwyd

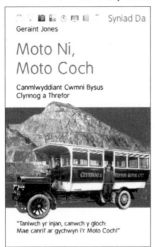

Moto Ni, Moto Coch
Canmlwyddiant y cwmni bysus cydweithredol ym mhentrefi Clynnog a Threfor

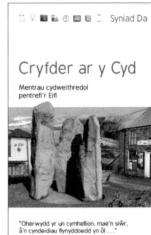

Mentrau Cydweithredol Pentrefi'r Eifl:
Nant Gwrtheyrn; Tafarn y Fic; Siop Llithfaen, Garej Clynnog, Antur Aelhaearn

Trin Gwalltiau yng Nghricieth
Menter Jano ac Anwen yn sefydlu siop ddifyr a bywiog ar ôl dysgu eu crefft

Caelloi Cymru:
cwmni bysys moethus o Lŷn sy' n ddolen rhwng Cymru ac Ewrop